Paardenkoorts

Mary Schoon

Paardenkoorts

Van Holkema & Warendorf

Voor Jan en Isabel

Eerste druk januari 2008
Tweede druk april 2008

ISBN 978 90 475 0269 2
NUR 283

Unieboek BV, Postbus 97, 3990 DB Houten

www.unieboek.nl
www.maryschoon.nl

Tekst: Mary Schoon
Omslagillustratie: Juliette de Wit
Omslagontwerp: Ontwerpstudio Bosgra BNO, Baarn
Zetwerk: ZetSpiegel, Best

1

Het spruitje blijft in Katja's keel steken. Met grote ogen kijkt ze haar zus aan. 'Paardrijden? Jij op een knol?' Slik, langzaam zakt het spruitje naar beneden.
'Is dat zo gek?' vraagt Anouk.
Katja schiet in de lach. 'Waarom?'
'Omdat Jantien en ik nu eenmaal gek op paarden zijn,' zegt Anouk met een uitgestreken gezicht.
'Sinds wanneer?'
'Oh, al zo lang.' Met een nonchalant gebaar gooit Anouk haar lange blonde haar naar achteren.
Spottend kijkt Katja haar zus aan. 'Dan heb ik zeker wat gemist.'
Hun vader fileert secuur het stukje zalm op zijn bord. Hij kijkt niet op als hij vraagt: 'En waar ga jij die lessen van betalen?'
Anouk lacht zelfverzekerd. 'Van het geld dat ik met mijn folderwijk verdien.'
'Paardrijden is een dure sport, dan houd je weinig meer over voor andere dingen.'
'Paardrijden is nu eenmaal mijn leven,' zegt Anouk met een snik in haar stem.
Katja giert het uit. Die Anouk, die kan zich toch een partijtje aanstellen! Maar ze zegt niets. Ze komt er wel achter waarom

haar zus ineens zo bezeten is van paarden. Want dat dit echt is, gaat er bij haar niet in. Deze plotselinge paardenliefde, daar moet meer achter zitten.
'Jantien en ik zijn al een paar keer op de manege geweest en het is er super. We hebben geholpen met borstelen en stallen uitmesten.'
'Toe maar,' zegt hun vader, 'en hoe heet die manege?'
'De Dennenhof.'
'De Dennenhof? Die ken ik wel. Luxe bedoening daar! Mijn baas heeft daar zijn paard in pension staan. Van Arkel rijdt zelfs wedstrijden met dat beest. Nog op hoog niveau ook, als je hem mag geloven. In ieder geval, als je erover begint houdt hij nooit meer op.'
Anouk knikt begrijpend. 'De paardenkoorts,' zegt ze met een diepe zucht. 'Wie die eenmaal te pakken heeft, raakt hem nooit meer kwijt.'
'En jij hebt het te pakken?' Katja bijt op haar lip om het niet weer uit te proesten.
'Ik zal die onhebbelijke toon van jou maar negeren,' zegt Anouk. 'Ja, zusje, en ik zal je nog meer vertellen, ik ga zelfs voor een paard sparen.'
'Zet dat maar uit je hoofd,' zegt hun vader. 'De aanschaf is duur, maar het onderhoud is helemaal niet te betalen. Paarden zijn voor mensen met geld, Anouk, en je vader is een arme sloeber. Ken je het spreekwoord niet? Mensen met paarden, hebben een hemel op aarde, maar komen ze te sterven, dan valt er niets meer te erven.' Hij steekt zijn handen erbij in de lucht alsof hij Vondel citeert.
'Tjee pap, doe normaal!' roept Anouk kwaad. 'Ik koop er niet meteen een, je kunt ze ook huren, dat kost bijna niks.'
'Hoeveel is niks?' vraagt Katja. 'Misschien gaan Puck en ik dan ook wel op paardrijles. Lijkt me best gaaf. Lekker stoer.'

'Oh, nu vind je het ineens ook leuk? Waag het niet om je daar te vertonen.' Anouk zwaait dreigend met een vinger.
'Ik sta op mijn eigen benen.'
'Pap, zeg er wat van! Straks komt die griet weer achter me aan. Dat doet ze altijd. Als ik wat nieuws heb, wil zij het ook. Ik word daar doodziek van!'
'Niet zo hoog van de toren blazen, juffer! Kat komt niet achter je aan, ze heeft daar niets te zoeken.'
Katja trekt een onschuldig gezicht.
'Kijk! Zie je hoe ze kijkt! Ze doet het wel! Weet je nog van toen? In het zwembad, achter me aan; naar de bieb, achter me aan. Ik ging op turnen, achter me aan. Jazzballet...'
Nu begint hun moeder zich er ook mee te bemoeien. 'Ja, zo weten we het wel, Anouk. Kat blijft thuis.'
Katja kijkt haar moeder boos aan.
'Altijd als ik iets leuks heb, komt zij het verpesten,' mokt Anouk verder.
'Anouk, draaf niet zo door.' Nu begint hun vader kwaad te worden. 'Je hoort wat je moeder zegt. Kat mag niet naar de manege!' Hij kijkt Katja strak aan. 'Heb je het gehoord? Dit is iets van je zus. Laat ik niet merken dat je er stiekem heen gaat!'
Katja blaast boos een haarlok weg. Het is altijd hetzelfde, papa en Anouk, twee handen op één buik.
'En anders krijg je geen zakgeld meer,' zegt Anouk.
'Zou jij even uitmaken,' zegt Katja.
'Anders krijgt ze een week geen zakgeld,' zegt haar vader tegen Anouk. 'Zo, nu tevreden?'
Katja's mond valt open. Ze doen hier altijd wat Anouk wil! Het lijkt wel of ze bang voor haar grote mond zijn.
Anouk is tevreden. Met een zegevierend gezicht schuift ze haar stoel naar achteren en gaat naar boven.

Katja laat zich languit op haar bed vallen. Eerst haar vriendin maar bellen. Ze toetst Pucks nummer in.
'Puck.'
'Hoi, met mij! Heb je al plannen voor vanavond?'
'Buiten mijn huiswerk niet, nee.'
Katja begint te fluisteren. 'Hoor eens, ik heb een plan. Zullen wij vanavond naar de manege gaan?'
'Praat eens wat harder, ik versta je haast niet!' roept Puck.
'Kan niet.' Stel je voor dat Anouk het hoort. Hun slaapkamers liggen naast elkaar en het tussenwandje is dun. Toch zegt ze iets luider: 'Zullen we vanavond naar de manege gaan?'
'Manege? Wat moeten we daar nou?'
'Anouk en Jantien gaan op paardrijles. Zie je het voor je? Het schijnt dat ze er al iedere avond zitten. Verdacht hè?'
'Hoezo verdacht?'
'Anouk en paardrijden! Ze mest zelfs de stallen uit met haar gemanicuurde nageltjes. Nee, Puck, ze spookt wat uit. En ze maakte onder het eten zo'n scène toen ik zei dat ik ook wilde paardrijden. Zullen we straks stiekem gaan kijken?'
'Best,' zegt Puck grinnikend. 'Weet je naar welke manege ze gaan? Er zijn er twee, hoor. Bartels en De Dennenhof.'
'Die laatste.'
'Weet je het zeker? Daar komen alleen kaklui.'
'Ja, dat was 'm, Anouk doet het niet voor minder,' zegt Katja. 'Ik ben over een halfuur bij je. Maar mondje dicht hoor!'
'Tuurlijk, tot straks,' zegt Puck en ze verbreekt de verbinding.

Katja steekt haar hoofd om de deur. 'Ik ga naar Puck.'
'Kat, kom eens hier,' zegt haar vader.
Katja loopt de kamer in. Haar vader zit aan de tafel met een enorme hoeveelheid papieren, mappen en ordners om zich

heen. Door zijn goudkleurige montuur kijkt hij haar streng aan. 'Waar ga je heen?'
'Dat zeg ik net, naar Puck.' Katja trekt een onschuldig gezicht.
Hij kijkt haar onderzoekend aan, knikt dan en zegt: 'Goed, ik geloof je. We moeten elkaar kunnen vertrouwen, nietwaar? Ga maar naar je vriendin, veel plezier.'
Met een vervelend gevoel loopt Katja de kamer uit.

Je kunt goed merken dat het oktober is, overal liggen afgewaaide bladeren en het begint al vroeg donker te worden. De twee maneges liggen aan de buitenkant van het dorp, niet ver van elkaar, maar De Dennenhof is de grootste. Op het terrein staan drie enorme gebouwen. In de twee buitenste bevinden zich de stallen en in de middelste is de overdekte rijbak met daarboven de kantine. Aan de achterkant liggen de weilanden waar de paarden overdag lopen. Aan de voorkant is een parkeerterrein. Tegen de muur staat een fietsenrek. Maar zo dichtbij durven Katja en Puck niet te komen. Ze zetten hun fiets tegen een boom bij de ingang aan de weg.
Puck blaast in haar handen. 'Had ik ook maar handschoenen aangedaan.'
Katja kijkt rond. Ze is opeens zenuwachtig want ze voelt zich toch wel schuldig. Maar het is Anouk haar eigen schuld. Had ze maar niet zo moeten zeuren. Hun vader neemt het altijd voor haar zus op. En dan, geen zakgeld! Het toppunt! Maar ze zal erachter komen wat die geit uitspookt. Ze ging niet voor niets zo tekeer, ze kent haar zus. Katja ziet dat een stukje verder, achter de bomensingel, een smalle weg ligt. Ze trekt Puck aan haar mouw. 'Kom, misschien kunnen we via die kant ongemerkt bij de stallen komen.'
Ze wandelen de zandweg op. Midden op het pad staat een

auto met een paardentrailer geparkeerd. De klep van de trailer staat open. De trailer is leeg. Op de bodem ligt een dikke laag stro en voorin hangt een net met hooi. Katja gluurt in de auto. Niemand. De sleutels steken vergeten in het contact. Aan het achteruitkijkspiegeltje bungelt een dun, wit skeletje dat haar grijnzend aanstaart. Vanaf het manegeterrein komt een man met een paard aanlopen. Hij draagt een bruin geruite pet en een bril met getinte glazen. Grijze krullen pieken onder de pet vandaan alsof ze in tijden geen shampoo hebben geroken.
'Aan de kant dames!' roept hij.
Katja en Puck springen opzij.
Tjee, wat is zo'n beest groot van dichtbij, denkt Katja. Dat Anouk daar op durft.
'Zoek je iets?' Wantrouwend kijkt hij Katja door zijn donkere bril aan.
Ze kleurt ervan. Zou hij gezien hebben dat ze in zijn auto gluurde? 'Nee... we lopen hier zomaar wat,' stamelt ze verlegen. De man loopt met het paard vlak langs Katja. Angstig deinst ze achteruit.
'Ben je bang?'
'Tuurlijk niet,' zegt ze stoer.
'Rijden jullie ook?' vraagt de man nu vriendelijker.
'Nog niet, misschien dat we op les gaan,' zegt Puck met een uitgestreken gezicht.
De man knikt. 'Paarden zijn geweldig. Kijk maar eens naar deze kanjer, heeft ze geen prachtig hoofd?'
De meisjes knikken.
'Nou vort, naar binnen.' Hij neemt een aanloopje en wil met het paard de trailer in. Vlak voor de klep weigert het beest en springt het opzij. 'Oh nee, niet weer hè?' Over zijn schouder roept hij naar Katja. 'Kom eens hier! Ik heb mijn zweep laten liggen. Hou vast.'

Hij duwt Katja het touw in haar handen en holt weg. Gespannen houdt Katja het dikke koord vast. Ze vindt het zóóó eng! Dat krijg je ervan als je opschept dat je niet bang bent. Het paard stapt achteruit en geeft een ruk aan het halstertouw. Oei! Hij gaat toch niet raar doen? Ze krijgt het er warm van. 'Help ook eens,' roept ze naar Puck.
'Voor geen goud!' piept Puck.
Nu blijft het paard rustig staan. Katja bekijkt haar hoofd eens goed. Ze heeft mooie ogen met lange wimpers. Ze trekt haar roze handschoentje uit en aait over de neus van het paard. Lekker zacht, net fluweel. Haar staart komt bijna tot op de grond. Ineens begint ze met haar oren te draaien. Zou ze wat horen? Gelukkig, daar heb je de man weer. Hij neemt het paard van haar over, neemt weer een aanloopje en rent op de trailer af. Hoewel hij nu met een zweep zwaait, weigert het beest weer. Katja hoort hem vloeken. 'Dit is geen gemakkelijk beestje,' zegt hij gemaakt vrolijk.
Katja kijkt naar het snuivende paard. Dat Anouk dit leuk vindt!
'Hé, jij daar!' roept hij naar Puck. Schoorvoetend komt Puck dichterbij. 'Hier.' De man geeft de zweep aan Puck. 'Erachter gaan lopen en met die zweep zwaaien. Niet slaan, alleen dreigen.' En tegen Katja zegt hij: 'Ga naast je vriendin staan en klap in je handen!'
Snel legt Katja haar handschoenen op het dak van de jeep en doet wat hij vraagt.
Het werkt! Stampend, bijna struikelend gaat het paard over de loopplank naar binnen. De man zet het beest vast en komt door een deurtje dat aan de zijkant zit, naar buiten.
Met een handige zwaai gooit hij de klep van de trailer omhoog en vergrendelt hem.
'Jullie hebben prima geholpen.' Hij trekt een krokodillenleren

portefeuille uit zijn zak en stopt Katja een briefje van tien euro in haar handen. 'Koop maar een warme chocolademelk,' zegt hij.
Verbaasd kijkt Katja naar het geld.
'Daar zijn meisjes toch zo gek op?' vraagt hij lachend.
'Hartstikke,' zegt Puck gauw.
Hij loopt naar zijn auto. Bij het portier draait hij zich om en tikt aan zijn pet. 'Prettige avond, dames.'
'Dat is snel verdiend!' Katja vouwt het biljet op en steekt het in haar kontzak. Inmiddels is het donker geworden.
'Wat doen we nu?' vraagt Puck.
'Wist ik maar waar Anouk uithangt. Als ze ons ziet, gaat ze herrie schoppen.'
'Geen gek idee om even naar de kantine te gaan. Ik heb best trek in warme chocolademelk,' zegt Puck en ze kijkt Katja met een scheef hoofd aan.
'Oké, maar wel voorzichtig, hoor!'
'Tuurlijk,' zegt Puck grijnzend.

Als ze over het parkeerterrein lopen zien ze een gele Beetle tussen de andere auto's staan.
'Roy?' vraagt Puck verbaasd.
Katja gluurt in de auto. 'Het lijkt er wel op.'
'Maar hij zat toch op Ibiza? Was hij geen barkeeper in zo'n strandtent?' vraagt Puck.
Katja knikt. 'De zomer is voorbij, de toeristen zijn vertrokken, dus Roy is terug.'
'Heeft Casper je dat verteld?'
'Casper? Nou, die vertelt me niet zoveel.' Maar Katja weet dat hij apetrots is op zijn donkere broer. Twee totaal verschillende jongens. De een bruin met bijna zwarte ogen, de ander blond met helblauwe ogen. Twee vaders, één moeder.

Roy is een avonturier en Casper wil het worden. Ineens wordt Katja alles duidelijk. Roy is de reden van Anouks paardengekte. Anouks verkering met Nick is alweer een tijdje uit. En vóór Nick was Anouk verliefd op Roy. Maar Roy is als los zand in je vingers, zo heb je hem en zo ben je hem kwijt. En Anouk wil alles hebben wat ze niet krijgen kan. Katja stopt haar handen diep in haar zakken. Zo, dus Roy rijdt ook paard.
Ze steken het parkeerterrein over. Om in de kantine te komen moeten ze een brede stalen trap op. De ijzeren leuning voelt ijskoud aan.
'We gluren eerst door het raam. Als er niemand is, bestellen we een warme chocolademelk,' zegt Katja.
'Met een gevulde koek,' zegt Puck.
In de hal is aan de ene kant de garderobe en aan de andere kant zijn de toiletten. Door de klapdeuren kijken ze de kantine in. Aan een tafeltje zitten een paar meisjes van hun leeftijd en aan de bar zit een man met een glas bier. Ze gaan naar binnen. Tegenover de bar is een glazen wand die op de binnenrijbak uitziet. Er wordt lesgegeven. Een tiental paarden loopt achter elkaar aan. In het midden staat een man met een zweep die af en toe iets naar een ruiter roept. Maar Anouk en Jantien zitten er niet tussen. Katja gaat op een kruk zitten. De meisjes aan het tafeltje houden op met praten en kijken hen aan. Puck gaat gauw naast Katja zitten. Katja trommelt met haar vingers op de bar. Een van de meisjes komt naast haar staan en roept tegen een half openstaande deur: 'Is mijn tosti al klaar?'
Meteen verschijnt er een jongen met een bord in zijn handen.
'Alsjeblieft, één tosti!'
'Roy!' roept Katja.
'Hé, Kattenkop! En Puck! Tijd niet gezien!'

'Werk je hier?' vraagt Katja.
'Bijna alle avonden en in het weekend,' zegt Roy.
'Heb je Anouk gezien?'
'Zeker weten! Ze heeft net, met Jantien, haar eerste les gehad. Was lachen hoor. Ik denk dat ze aan het afzadelen is. Ze zal zo wel boven komen.'
'Oh,' zegt Katja, 'dan moeten we meteen weer weg.'
'Willen jullie niets drinken?'
'Anouk mag ons niet zien. We wilden een warme chocolademelk bestellen.'
'Met een gevulde koek,' zegt Puck.
Roy kijkt op de klok. 'Dan moet ik snel zijn.'
'Laat maar,' zegt Katja bang.
'Welnee, ik heb het zo klaar.' Vlug zet hij twee bekers warme chocolademelk voor hen neer en legt voor ieder een gevulde koek op een schoteltje. Katja haalt het tientje tevoorschijn.
Hij duwt haar hand terug. 'Dit krijgen jullie van mij.'
Puck hapt smakelijk in de koek. Roy vertelt over Ibiza. Dat hij daar de populairste barkeeper was, maar keihard moest werken. Nu zou hij het liefst in een disco willen werken, maar zolang bevalt dit baantje hem ook. Als straks de laatste les voorbij is, zit de bar vol met lui die met fooien smijten. Roy buigt zich voorover en fluistert: 'Allemaal kakkers, ze stinken en drinken!'
Puck likt een dikke witte slagroomsnor weg.
Katja springt van de kruk. 'Kom, we smeren 'm!'
Roy geeft haar een knipoog. 'Dus ik heb jullie niet gezien?'
'Anouk is bang dat ik haar bespioneer!'
'Zoiets doe jij toch niet?' zegt Roy.
'Tuurlijk niet!'

’s Avonds schrijft Katja in haar dagboek:

Zondagavond 14 oktober
Baal als een stekker, op de terugweg kwam ik erachter dat ik mijn handschoenen verloren ben. Ik heb ze nog wel van papa gekregen. Het is nu al kwart voor twaalf en ik kan niet slapen. Anouk is net thuis. Ze heeft vast de hele avond bij Roy aan de bar gezeten. Ze zal wel geschrokken zijn, want papa ging flink tekeer. Hij schreeuwen en Anouk ertegenin. Dus die paardenkoorts is Roykoorts. Ik had haar trouwens wel eens op zo'n knol willen zien hobbelen. Jantien heeft vroeger pony gereden, dus die kan het wel beter. Anouk is zo doorzichtig, dat ze dat zelf niet doorheeft! Maar ik kan haar geen ongelijk geven. Roy is een knappe gozer. Jakkes! Als zij met Roy gaat en ik met Casper wordt mijn zus ook nog eens mijn schoonzus!
Dubbele ramp! Kanonnen! Ik ben helemaal vergeten mijn huiswerk te maken. Ik zal morgen wel zeggen dat ik me niet lekker voelde. Misschien trapt Rozemeijer erin. Ik hoor Anouk hiernaast nog steeds rommelen. Wat zou ze toch allemaal aan het doen zijn? Ik zou best eens willen kijken wat die geit uitspookt. Ik kan natuurlijk eens proberen om met een glas tegen de muur te luisteren, dat schijnt heel goed te werken. Gaap!
Volgende keer maar. Ik word nu toch wel moe. Ik ga pitten. Ajuus!

2

’s Morgens zit Katja met een wit gezicht aan de ontbijttafel. Haar vader is al naar kantoor.
‘Het is een spannende dag voor papa,’ zegt haar moeder.
Katja kijkt op. ‘Hoezo?’
‘Vandaag krijgt hij te horen of hij promotie maakt. Hij heeft toch gesolliciteerd op die interne vacature? Vandaag wordt er beslist.’ Haar moeder blaast in haar thee en tuurt naar buiten. ‘Ik hoop het zo, hij heeft het echt verdiend.’
Katja steekt het laatste stukje brood in haar mond en kijkt op de klok. Ze moet zich haasten. Ze hebben het eerste uur sport en de sporthal staat een stuk verder dan haar school. Dit is de ergste ochtend van de week. Ben je net wakker, moet je rennen en klimmen of zo’n afschuwelijk balspel doen. In de hal trekt ze snel haar jas aan.
Anouk komt de trap af.
‘Je was laat gisteravond,’ zegt Katja, ‘ik hoorde pa flink tekeer gaan.’
Anouk haalt onverschillig haar schouders op. ‘Ik kon er niks aan doen. Er is iets vreselijks gebeurd op de manege.’ Anouk begint te fluisteren. ‘Gisteravond is er een paard gejat. Uit de wei! Het moeten kenners geweest zijn, want ze hebben de allerduurste eruit gepikt. Niet eens het gemakkelijkste paard. Niemand heeft iets gezien. Snap jij dat nou?’

Met grote ogen kijkt Katja haar zus aan. Bij haar slapen begint het te kloppen. Haar mond gaat open, maar er komt geen geluid uit.
Anouk gaat verder: 'Pa weet het nog niet, maar het is het paard van zijn baas. Hij zal het vandaag op kantoor wel te horen krijgen. Nou, wat sta je me stom aan te gapen?' Ze kijkt op haar horloge. 'Zou je niet eens gaan? Je bent hartstikke laat!'
Met een verdoofd hoofd haalt Katja haar fiets uit de schuur en rijdt langzaam weg.

Tijdens de gymles heeft ze nog niets tegen Puck gezegd. Na het sporten blijft Katja lang onder de douche staan. De kraan staat zo heet mogelijk. Dat voelt goed. Het vervelende gevoel spoelt van haar af en verdwijnt mee het putje in. Eén zin maalt door haar hoofd. 'Gisteravond is er een paard gejat, precies de allerduurste.'
Puck staat ongeduldig bij de fietsen te wachten. 'Zelfs m'n opoe is sneller!'

Onder het fietsen vertelt Katja wat er gisteravond op de manege is gebeurd.
Met grote ogen kijkt Puck haar aan. 'Weet je zeker dat het dat paard is?'
'Het zou wel heel toevallig zijn als die het *niet* is!'
'Dan hebben wij helpen stelen,' piept Puck. 'Snap jij dat nou? Die man deed zo aardig, hij gaf ons nog tien euro!'
Katja kijkt bang om zich heen. 'We hadden nooit dat geld aan moeten nemen.'
Ze zwaait haar natte piekhaar naar achteren. Ineens vindt ze het niet erg om met een nat hoofd te fietsen. Zo blijft ze helder.

'Ik zit helemaal te trillen!' Puck steekt haar hand uit.
'Oh Puck, als mijn vader hoort dat ik op de manege ben geweest en als het uitkomt dat ik dat paard heb helpen stelen, is de ramp niet te overzien!'
Puck kijkt benauwd. 'Als het maar niet uitkomt. Als die vent zijn mond maar houdt! Als hij ons maar niet de schuld geeft.'
'Als, als, als,' snauwt Katja. 'Als de bok jonkt krijgen we zeven geitjes!'
'En als de lucht valt zijn we allemaal dood!' snauwt Puck terug.
Ze kijken elkaar aan en schieten in de lach.

Zodra Katja haar fiets in het rek zet, komt Casper naar haar toe. Hij gaat wijdbeens voor haar staan en zegt zo stoer mogelijk: 'Bij Roy op de manege is gisteravond een kostbaar wedstrijdpaard gejat.'
'Werkt Roy bij een manege?'
Casper trekt zijn wenkbrauwen op. 'Wat doe je raar, dat weet je toch? Jullie waren er gisteren zelf.'
Puck kijkt bang van de een naar de ander. 'Ik ga naar binnen, ik heb het hartstikke koud.'
Katja kan haar tong wel afbijten. Waren ze maar niet achter Anouk aangegaan. Straks vertelt Roy aan haar zus dat ze er geweest is. Hij heeft wel beloofd zijn mond te houden, maar Casper weet het toch ook maar. En nu met die diefstal...
'Je had wel eens kunnen zeggen dat Roy terug is,' zegt Katja, 'en dat hij bij die manege werkt.'
Casper haalt zijn schouders op. 'Niet aan gedacht. Maar het is wel een supergaaf baantje hoor. In het weekend moet ik ook meehelpen. Een beetje rotzooien in de keuken en soms achter de bar. Biertappen is gaaf!'
Katja gaat naar binnen. Ze wil even niets meer over de ma-

nege horen. Ze proppen hun sportkleren in hun kluisje. Caspers kluisje is naast de hare. Toch begint ze er zelf weer over.
'Weet de politie al wat?'
Casper schudt zijn hoofd. 'Het paard liep nog in de wei. Binnen werd lesgegeven, niemand heeft iets gezien.'
Katja voelt dat ze knalrood wordt. Ze durft hem niet aan te kijken. Casper heeft niets in de gaten en praat gewoon door.
'Weet je, het frappante is dat dat paard heel moeilijk een trailer in gaat. Dus de politie denkt dat die dieven met z'n tweeën geweest zijn. Alleen red je het bijna niet.'
Katja loopt snel de gang in. Haastige voetstappen achter haar.
'De politie beschouwt het stelen van een paard als een zeer ernstig misdrijf.'
Boos draait ze zich om. 'Hou toch op over die stomme knol!'
Beledigd gaat Casper aan zijn tafeltje zitten.

Ze hebben stapels huiswerk opgekregen. Katja ligt met haar boek op haar bed, maar ze kan haar gedachten er niet bijhouden. Steeds ziet ze het gezicht van die man voor zich. Ze zou de politie een goede beschrijving kunnen geven, maar dan zou iedereen weten dat zij heeft helpen stelen. Dan kan haar vader fluiten naar die baan. Nee, spreken is zilver en zwijgen is goud. Ze kiest voor goud. Ze pakt haar mobieltje. Zodra Puck opneemt, valt ze met de deur in huis. 'Puck, weet jij nog wat voor auto die vent had?'
'Een zwarte,' zegt Puck.
'Ja, maar het merk?'
'Geen idee.'
'Denk eens na!'
'Kat, ik weet echt niet waar zo'n paardenrover in rijdt.'
In gedachten ziet Katja de naam weer op de auto staan. 'Puck, het was een Land Rover!'

'Zal best,' zegt Puck. 'Oh Kat, ik vind het toch zo erg. Het halve dorp praat erover. Mijn moeder hoorde het al in de supermarkt. Het schijnt dat ze gestolen paarden heel snel doorverkopen. Binnen enkele dagen worden ze het land uit gesmokkeld. Ik las toevallig net in de krant dat er morgen een grote paardenmarkt in Zuidlaren is.'
Even is het stil. 'Denk jij dat ze hem daar proberen te verkopen?' vraagt Katja.
'Zou me niks verbazen. We moeten toch iets ondernemen?'
'Wil je erheen? Maar ik herken dat beest niet, hoor. Voor mij is een paard een paard. Er staan daar misschien wel honderd van die beesten op een rij.'
'Een paar duizend,' zegt Puck. 'Het is de grootste, jaarlijkse paardenmarkt van Nederland.'
Ineens springt Katja op. 'Maar die vent herkennen we wel! Stel je voor dat we hem zien! Dan kunnen we hem aangeven. Biechten we alles op, maar niet eerder, hoor! Oh Puck, als we ervoor kunnen zorgen dat dat paard terugkomt, krijgt mijn vader vast en zeker die promotie!'
'Hoe doen we dat met school?' vraagt Puck. 'Ik krijg gigantisch op mijn lazer als mijn moeder hoort dat ik spijbel.'
'Ik ook. Maar veronderstel dat we alles terug kunnen draaien? Ik heb daar echt alles voor over. Ik ben de hele dag misselijk van de zenuwen.'
'En ik heb pijn in mijn buik.'
'Dus... we gaan?'
'We gaan!'

Onder het eten wordt weinig gesproken. Katja's moeder heeft hoofdpijn en haar vader heeft nog niets over zijn promotie gehoord. Van Arkel, haar vaders baas, was niet op kantoor. Na het eten gaat Katja meteen naar boven. Ze maakt een lijstje

van wat ze mee moet nemen. Camera, fototoestel, brood, drinken en haar mobieltje. En geld, anders komt ze niet ver. Ze is alleen thuis. Haar vader en moeder zijn op visite en Anouk is naar de manege.
Onder het douchen bedenkt ze dat iemand hen morgen op school ziek moet melden. Zal ze het aan Casper vragen? Nee, beter van niet. Die wil altijd het naadje van de kous weten. En dat gaat niet. Zal ze het aan Anouk vragen? Ze heeft altijd wel mot met haar zus, maar als ze in de sores zit, helpt Anouk haar altijd. Hoe langer Katja erover nadenkt, hoe meer ze beseft dat Anouk eigenlijk de enige is die haar en Puck ziek kan melden. Het is niet anders. Anouk moet morgen twee briefjes schrijven. In twee verschillende handschriften. Eén voor Puck en één voor haar. Anouk zal beslist iets terugeisen, want zo is ze, maar daar is overheen te komen. Katja gaat aan haar bureau zitten en schrijft een briefje.

Anoukipoek,
Hier een berichtje van je schattige zusje. Ik ben vandaag met de trein naar Zuidlaren. Dat ligt in Drenthe, voor het geval je dat nog niet wist. Puck en ik gaan een bezoekje brengen aan de jaarlijkse paardenmarkt. Waarom? Zomaar, omdat we nu eenmaal gek op paarden zijn. Maar nu moet jij ons even ziekmelden op school. Schrijf dus twee briefjes. Eén voor mij en één voor Puck. En denk erom, in twee handschriften! Wel doen hoor! Oh, en vertel het alsjeblieft aan niemand! Verscheur dit briefje in duizend stukjes of eet het op,
Katja

Ze legt het op haar nachtkastje. Dit plakt ze morgenochtend op de binnenkant van Anouks deur. Zo, nu heeft ze alles geregeld. Ze trekt haar pyjama aan en kruipt in bed. Ze staart naar het plafond. Als er morgen maar niks engs gebeurt. Stel je voor dat ze oog in oog met die vent komt te staan. Ze moet er niet aan denken. Er schijnt een heuse paardenmaffia te zijn. Als ze daar maar niet mee te maken hebben. Je weet het nooit…

Oh, ze moet de filmcamera niet vergeten. Wacht, ze kan hem beter nu pakken en controleren of de batterij nog vol is, want als ze morgen misgrijpt is het te laat. En ze moet er een nieuw bandje in doen. Als ook dit geregeld is, kruipt ze voor de tweede keer in bed. Halftien, mooie tijd. Ze zet de wekker van haar mobiel en stopt hem onder haar kussen.

3

Om halfzes wordt ze wakker van een zacht gepiep. Snel kleedt ze zich aan, sluipt naar beneden en smeert in de keuken boterhammen voor onderweg. Alles gaat in haar tasje. Ze controleert het lijstje. Ze is niets vergeten. Dan schrijft ze een briefje. *Ben al naar school. Had invallessen. Katja.* Ze legt het op de keukentafel. Voordat de volgende beneden komt is het zeker zeven uur, dus dat geloven ze wel. Muisstil gaat ze naar buiten. Omdat haar fiets rammelt, stapt ze op de weg pas op. Op deze druilerige morgen kun je de herfst al goed ruiken. Kruidig, naar de voorbije zomer. Puck staat al midden op de weg. Zwijgend fietsen ze naar het station. Om tien over zes rolt de trein binnen. Een minuut later zijn ze op weg.

Zuidlaren. Wat een ongelooflijke drukte! Horden mensen die als mieren allemaal dezelfde kant opgaan. Hoe dichter ze bij de markt komen hoe drukker het wordt. Overal staan auto's en trailers geparkeerd. Mannen in oranje pakken proberen het verkeer te regelen.
Katja en Puck komen bij de markt aan. Waar zijn de paarden? Ze zien honderden marktkraampjes, de meeste volgestouwd met paardenspullen. Zadels, tuigen, touwen, rijlaarzen en zwepen hangen aan en staan op de overvolle tafels. Er is zelfs een marktkraamhouder die balen voer verkoopt. Ze lopen de

straat helemaal uit. Eindelijk zien ze de eerste Shetlandertjes, Welshjes en Fjorden staan. Eromheen staan kinderen te dringen, die willen aaien. Een chagrijnige handelaar duwt ze mopperend achteruit. Katja en Puck lopen verder. Algauw komen ze bij de grote paarden. Straten vol! Ze staan rij aan rij, vastgebonden aan een kort touw, te wachten op een nieuwe eigenaar. Voetje voor voetje schuifelen Katja en Puck met de massa mee. Het is bijna onmogelijk om elk paard goed te bekijken. Nu komen ze op de Brink; het grote plein midden in het dorp. Hier staan nog eens honderden paarden. Je moet vreselijk opletten waar je loopt want voordat je er erg in hebt, trap je in een hoop poep. Of je botst tegen een paardenkont op, omdat een handelaar zo'n beest uit de rij trekt en zich tussen de menigte dringt.

De meeste paarden kijken treurig. Katja vindt het zo zielig dat ze vergeet te filmen. Iemand botst tegen haar tas op. Nu pas denkt ze aan de camera. Ze haalt hem tevoorschijn en vraagt aan Puck: 'Wil jij me sturen?'

Puck pakt Katja's arm en trekt haar mee.

Het valt Katja op dat veel mannen hun hoofd wegdraaien zodra ze merken dat ze gefilmd worden. Vooral de handelaren in blauwe stofjassen. 'Wat een lomperiken,' klaagt Katja, 'zie je hoe ze met die stokken in die beesten prikken?'

'Moet je bij hen doen!' zegt Puck.

'Let jij op de geruite pet?'

Aan het eind van het plein komen ze op een overzichtelijke T-splitsing. Hier laat een handelaar een paard aan een longeerlijn rondjes draven om zijn gangen te demonstreren. Een grote kring mensen staat te kijken.

Puck stoot Katja aan. 'Deze lijkt op het paard dat we zoeken!'

Katja filmt het beest extra goed. Maar als het paard in de lens

kijkt, ziet ze dat die witte vlek op zijn hoofd doorloopt tot aan zijn mond. 'Het is 'm niet, die vlek is te groot.'
Puck haalt haar schouders op. 'Ze lijken allemaal op elkaar. En zo goed heb ik niet gekeken die avond.'
'We zijn gekomen om naar de man met de pet te zoeken.'
'En als hij vandaag een andere pet opheeft?' vraagt Puck leuk.
'Hij heeft grijze krullen en een donkere bril, dat verandert niet,' zegt Katja snibbig.
Puck kijkt Katja door de camera aan. 'Hotdogs! Moet je er een?'
Katja knikt. Ze filmt Puck die voor de kar staat te wachten tot ze aan de beurt is.
'Moet je er uitjes op?' roept Puck uit de verte.
Katja schudt nee met de camera. Als Puck eindelijk met het eten aankomt, zet ze het apparaat uit en zoeken ze een bankje waar ze rustig kunnen eten. Maar alles is bezet. Uiteindelijk gaan ze op een laag tuinmuurtje zitten.
'Heb je veel gefilmd?' vraagt Puck met een volle mond.
'Iedereen die we tegenkwamen en heel veel paarden natuurlijk.'
Puck knikt en ze veegt tevreden een klodder mayonaise van haar mond. 'Wil je nog meer filmen?'
Katja kijkt op haar horloge. Kwart over twee. Ze moeten wel op tijd thuis zijn, het moet lijken alsof ze zo van school komen. School! Zou Anouk die briefjes wel geschreven hebben? Zal ze Casper bellen om te vragen of ze zijn ziekgemeld?
'Ik hoop wel dat Anouk die briefjes heeft geschreven,' zegt ze tegen Puck.
'Anders hangen we,' zegt Puck bang.
'Als ze het op school maar geloven en nog niet naar huis gebeld hebben.'
'Oh, jee,' kreunt Puck. 'Bel Casper, dan horen we het.'

'Ben jij gek, straks gaat hij vragen wat ik mankeer.'
'Dan zeg je dat het hem niks aangaat.'
Katja snuift. 'Zul je hem horen!'
'Ik wil het weten, Kat. Bel nou!' dringt Puck aan. Ze kijkt op haar horloge. 'Ze hebben nu een tussenuur.'
Katja pakt haar mobiel en zoekt Caspers nummer op.
'Cas.' Katja wordt warm nu ze zijn stem hoort.
'Met Katja,' fluistert ze.
'Hé, waar hang jij uit?'
Katja kijkt met een gezicht naar Puck. 'Zijn wij ziekgemeld?'
'Waarom vraag je dat?'
'Omdat we er niet zijn.'
Even is het stil. 'Wat vreten jullie uit?'
'Niks, we zijn in de stad, shoppen.'
'Ik geloof je niet.'
'Vroeg Noteboom niet waar we waren?'
'Je bent ziekgemeld.'
Katja begint te grijnzen.
'Wat?' Puck staat ongeduldig naast haar te trappelen.
Katja wappert met haar hand dat ze zich stil moet houden.
'Ik hang op, ik zie je morgen?' zegt ze extra lief.
'Bekijk het maar,' bromt Casper en hij verbreekt de verbinding.
Katja stopt haar mobieltje terug in haar tas. 'Ik wist het! Anouk heeft een grote mond maar een klein hartje. Laten we bij die auto's en trailers filmen, misschien dat die Land Rover daar tussen staat.'

Stond vanmorgen alles nog bomvol, nu zijn er al veel lege plekken op de parkeerplaatsen. Terwijl ze lopen, filmt Katja.
'Doe dat ding eens uit,' zegt Puck opeens.
Katja zet de camera uit en kijkt haar vriendin vragend aan.

'Ik moet plassen.'
'Moet ik daarom stoppen?'
'Anders hoor je toch op de film wat ik zeg!'
'Preutse kip!'
'Zou hier ergens een openbare wc zijn?'
'Ga achter die bosjes.' Katja wijst een plek aan.
Puck trekt haar neus op. Ze controleert eerst wel tien keer of er niemand aankomt en duikt dan eindelijk de struiken in. Katja zet de camera weer aan. Door de lens ziet ze dat Puck zich een weg baant door het groen, tot ze helemaal verdwenen is. Zal ze Puck voor de grap filmen? Gehurkt met haar broek op haar hielen? Katja steekt de weg over en zoekt met de camera tussen de struiken. Ze haalt het beeld dichterbij maar Puck is spoorloos. Katja loopt dieper de bosjes in. Overal ligt hondenstront. Met grote stappen gaat ze terug. Filmend loopt ze langs een rij geparkeerde auto's en trailers. Verderop staan twee mannen met elkaar te praten. Zodra ze Katja in de gaten hebben, schreeuwt de langste man: 'Opzouten!' Geschrokken zwenkt ze de camera de andere kant op. Alle handelaren zijn hetzelfde! Even later filmt ze hen expres van een afstandje.
Ineens staat Puck weer achter haar. 'Hè, hè, wat moest ik nodig. Zullen we naar de trein gaan?'
Katja klapt de camera dicht en stopt hem in haar tas.

4

Ze eten stoofpeertjes in rode wijn met een sudderlapje. Anders zit Katja hier altijd van te smikkelen, maar nu heeft ze geen honger. Met een schuin oog kijkt ze naar Anouk. Maar die doet net alsof ze gek is. Hun vader is stil. Lusteloos prikt hij in zijn aardappels, maar hij eet niet. In de keuken vertelt hun moeder dat papa de baan niet heeft gekregen. Van Arkel, zijn baas, was er niet eens. Die had plotseling een vergadering in Amsterdam, dus moest een ander waarnemen.
'Van Arkel zal vanavond ook wel niet op de manege zijn,' zegt Anouk. 'Dat paard vindt hij nooit meer. Dat zit waarschijnlijk al in Denemarken of Polen. Daar gaan de meeste gestolen paarden heen.'

Katja gaat achter haar computer zitten. Misschien heeft Casper haar een mailtje gestuurd. Hé, een mailtje van Anouk. Ze opent het. Met grote ogen staart ze naar het scherm.

Van: Anouk Verdonk
Aan: Katja Verdonk
Verzonden: dinsdag 16 oktober 15.23
Onderwerp: schoolziek!

Ha, die Kat!
Dat is schrikken hè? Wat ben je nu weer aan het uitvreten? En wat moeten jullie in hemelsnaam op een paardenmarkt? Ga me niet vertellen dat jij paarden leuk vindt, want daar trap ik echt niet in. Heeft het iets te maken met wat ik jou gister vertelde? Laat maar, ik kom er zelf wel achter. Ik heb twee ziekmeldingen geschreven, in twee verschillende handschriften. Zag er super uit, al zeg ik het zelf. Ik heb er in ieder geval mijn stinkende best op gedaan. Ik hoop niet dat ze van school nog naar huis bellen. Want daar kan ik niets aan doen, dat snap je. Nu heb ik wat van jou en Puck te goed. Jullie staan nu bij me in het krijt. Dus als ik jou binnenkort om een gunst vraag, verwacht ik dat je onmiddellijk voor me klaarstaat!
Groetjes, Anoekipoek

Katja glimlacht. Grappig van haar zus om een e-mailtje te sturen. Puck kan elk moment komen en dan gaan ze samen de film bekijken. Katja haalt de camera uit haar rugtas, sluit hem aan op haar tv en gaat op bed liggen wachten.
Puck schudt haar wakker. Even weet Katja niet wat voor dag het is en wat Puck hier doet, maar algauw dringt het tot haar door. Op haar mobieltje ziet ze dat ze drie kwartier geslapen heeft. Het was ook zo akelig vroeg vanmorgen.
'Hebben ze bij jou van school gebeld?' vraagt Katja.
'Gelukkig niet,' zegt Puck met een overdreven gezicht. 'Wat heb ik daarover in de rats gezeten!' Ze ploft naast Katja neer op het bed. 'Nou, laat zien, ik ben benieuwd!'
Katja pakt de afstandsbediening en start de film. De paardenmarkt verschijnt op het beeldscherm. Snel zet ze de tv zachter. Nu valt het pas op hoe rumoerig het daar was.
Puck wijst naar het scherm. 'Dat lijkt die kerel wel!'

Katja bekijkt hem van dichtbij. 'Nee, deze man is kleiner en heeft een buik.'
'Dat paard!' roept Puck even later. 'Dat zou 'r kunnen zijn.'
Katja schudt haar hoofd. 'Wat hebben wij dat paard nou helemaal gezien? In ieder geval niet goed genoeg om haar vanaf het scherm te herkennen.'
'Zullen we het aan Anouk vragen?' oppert Puck.
Katja's gezicht betrekt. Ze is net zo blij dat Anouk niet verder vroeg. Als die zich ermee gaat bemoeien... die klepmajoor houdt vast haar mond niet. Opeens krijgt ze een idee. 'Zullen we het aan Roy vragen?'
'Goed, maar we zeggen niks over die kerel met de geruite pet, hoor!'
'Ik bel meteen,' zegt Katja.

'Roy.'
'Met Katja. Ben je op de manege?'
'Nee, morgen weer. Hoezo?'
'Mogen we even bij je langskomen? We willen je iets laten zien.'
'Wat?'
'Dat kan ik je nu niet vertellen. Niemand mag er iets van weten. Ook Casper niet.'
'Je maakt me nieuwsgierig. Kom maar gauw, Casper is naar fitness.'
'Oké, tot zo!'
'Tot zo.'

Als ze bij Roy het pad op lopen zegt Katja: 'Hij gaat geheid vragen waarom we daar geweest zijn.'
'We zeggen gewoon dat we naar het paard van jouw vaders baas helpen zoeken.'

Net als Katja op de bel wil drukken, vliegt de deur open.
'Loop maar door naar boven,' zegt Roy.
Op Roys kamer haalt Katja de camera uit de tas en sluit hem aan op de tv.
Roy zegt niks. Maar zodra hij de eerste beelden ziet, kijkt hij Katja vreemd aan. 'De Zuidlaardermarkt?'
'Hoe is het mogelijk!' verzucht Puck.
'Zie je dat in één oogopslag?' vraagt Katja.
'Nergens is het zo druk op een paardenmarkt. Maar dat was vandaag!' Zijn gezicht is een groot vraagteken. 'Wat deden jullie daar?'
'Zoeken naar dat gestolen paard,' zegt Katja.
Omdat Roy haar blijft aankijken zegt ze: 'Het is toch het paard van mijn vaders baas? We willen helpen.'
'Kennen jullie Van Arkel?'
'Hartstikke goed!' zegt Puck.
Ongelovig kijkt Roy van de een naar de ander.
Nerveus schuift Katja heen en weer. 'Kijk naar het scherm! We hebben gigantisch veel paarden gefilmd, maar wij kennen dat beest niet. Jij moet kijken of hij ertussen staat.'
Roy schuift zijn stoel naar de tv. 'Wat een on-ge-loof-lij-ke drukte,' mompelt hij.
Na een poosje te hebben gekeken, schudt hij zijn hoofd en zegt: 'Ze lijken allemaal op elkaar. En zo goed ken ik dat gestolen paard niet. Waarom denken jullie dat hij daartussen zit?'
Katja haalt haar schouders op. 'Omdat ze zeggen dat daar veel gestolen paarden verkocht worden. En omdat de diefstal vlak voor deze dag was.'
Nu komt Pucks gezicht close-up in beeld. Ze kijkt in de lens en vraagt of Katja een hotdog wil.
Puck geeft Katja een tik. 'Spoel door!'

'Stop!' roept Roy.
Katja zet het beeld stil. Roy draait zich om en kijkt haar met samengeknepen ogen aan.
Katja krijgt er een kleur van. 'Wat?'
'Ik dacht dat jij die baas van je vader zo hart-stik-ke goed kende?'
Ze hoort zijn spottende stem. 'Ja, hoezo?'
'Hij staat naast Puck patat te eten.'
'Van Arkel?' Katja's mond valt open.
Roy wijst. 'Die man daar in die bruine suède jas met bontkraag.'
Katja gaat met haar neus vlak voor de tv zitten. Is dit haar vaders baas?
Een lange, slanke man, begin veertig.
'Tjongejonge, wat ken je hem goed!' sneert Roy. 'Is er nog iets wat ik niet weten mag?'
Katja krijgt het er warm van. 'Ik ken hem alleen van naam,' piept ze.
Roy kijkt haar strak aan. 'Kat, wat is er aan de hand? Je gaat niet helemaal naar Zuidlaren om naar een paard te zoeken van iemand die je amper kent.'
Katja begint nerveus op haar nagels te kluiven. Puck staart een gat in de vloerbedekking.
'Blijkbaar is Van Arkel zelf ook op zoek naar zijn paard,' concludeert Roy.
Terwijl Puck met één oog naar het scherm kijkt, ziet ze dat de camera haar achtervolgt terwijl zij de struiken in loopt. 'Je probeert me stiekem te filmen!'
Katja grinnikt.
'Oh, wat vals!' gilt Puck.
Roy wijst op twee mannen die naast een jeep staan te praten. 'Daar heb je hem weer!'

Naast een rij auto's zien ze dat Van Arkel staat te praten met een vreemde man. Heel even kijkt Van Arkel recht in de lens. Hij knijpt zijn ogen tot spleetjes, dan roept hij kwaad: 'Opzouten!'
Katja zit stijf van de schrik. Nu pas dringt het tot haar door. Van Arkel heeft haar gezien! Hij moest eens weten dat zij geholpen heeft bij de diefstal! Ze voelt dat Roy naar haar kijkt. Ze krijgt het benauwd van die dwingende blik. Ze veegt haar klamme handen aan haar spijkerbroek af. Als hij nou maar niet verder gaat vragen. Van Arkel geeft de andere man een hand, die stapt in zijn auto en rijdt weg.
'Wat staat er op die jeep?' roept Roy.
Drie paar ogen staren naar het logo.
'Bellamy, pensionstal,' leest Katja.
'Nee,' zegt Roy. 'Er staat pensioenstal, dat is heel iets anders.'

Katja pakt de camera in.
'Goh, is het al zo laat?' zegt Puck.
Roy staat op en gaat met zijn rug tegen de deur staan. Hij slaat zijn armen over elkaar en kijkt de meisjes aan. Puck gaat voor hem staan, maar Roy gaat geen stap opzij.
'Ik wil erdoor.'
'Waarom zoeken jullie dat paard?'
'Ik heb hier geen zin in,' piept Puck, 'ik ben hartstikke moe.'
Katja staart naar de punten van haar laarzen. Eigenlijk wil ze het Roy wel vertellen. Het zou zo fijn zijn om er met iemand over te kunnen praten, want ze zit vreselijk met die diefstal in haar maag. 'Zullen we het vertellen?' vraagt ze met een dun stemmetje aan Puck.
Beneden slaat de voordeur dicht. Verschrikt kijken ze elkaar aan. Bonkende stappen komen de trap op. Er wordt tegen de deur geduwd. Roy zet zich schrap en houdt de deur dicht.

‘Roy?’ roept Casper.
‘Ik kom zo.’
Ze horen Casper weer naar beneden gaan.
Katja schrikt. ‘Onze fietsen!’
Puck kijkt Roy boos aan. ‘Laat ons gaan!’ sist ze.
Met tegenzin stapt Roy opzij. Stil gaan ze de trap af.
Bij de voordeur fluistert Katja: ‘Ik vertel het je echt wel.’
Door het raam kijkt Casper hen na.

5

Op school vraagt niemand waar ze de vorige dag waren. In de eerste pauze komt Casper meteen bij haar staan. 'Waarom waren jullie bij Roy?'
'Om zijn mooie bruine ogen.'
Zijn gezicht betrekt. 'Oh, gaan we zo doen?'
'Een andere keer.'
'Ik dacht dat we verkering hadden!'
Katja kijkt hem fel aan. Verkering! Ze mag tegen niemand zeggen dat ze verkering hebben. Dat heeft Casper zo beslist. Hij vindt het spannender als het geheim blijft, zegt hij. Maar Katja weet zeker dat het een smoes is. Casper is gewoon bang dat Wiep het te weten komt. Ze weet zeker dat hij ook nog gek op Wiep is. Hij kan gewoon niet kiezen. Mooie verkering!
Casper gaat wijdbeens voor haar staan. Met zijn duimen in zijn broekzakken kijkt hij Katja aan. Ze probeert zijn blik te ontwijken. Ze tuurt naar links, naar rechts en dan in de lucht.
'Ik sta hier, hoor.'
Ze hoort het dreigende toontje, maar ze reageert niet.
Met een ruk draait Casper zich om en loopt naar zijn vrienden. Meteen gaat Wiep naast hem staan en begint een praatje. Nu slaat hij een arm om Wiep heen. Katja voelt een jaloerse steek in haar maag. Wiep met haar lange blonde haren,

dure merkkleding en nepmaniertjes! Nu trekt Casper plagend aan Wieps tas.
Katja bijt op haar lip. Dit doet hij alleen om haar te pesten, omdat hij weet dat ze kijkt.
Ze loopt naar een donker hoekje in het fietsenhok en gaat op een bagagedrager zitten. Hete tranen prikken in haar ogen. Casper gaat zijn gang maar. Het maakt toch niks meer uit. Als hij te weten komt dat ze bij die diefstal betrokken was, vindt hij haar oliedom. En dat past niet bij hem. Zo'n achterlijk figuur schaadt zijn imago. Casper heeft het immers altijd over zijn imago? Ineens dringt het tot haar door. Casper heeft kapsones! Hij verbeeldt zich dat hij een reputatie hoog te houden heeft.
'Zit je te dromen?' vraagt Puck, die bij haar komt staan.
'Casper reageert altijd zo pissig,' zegt Katja met een dikke stem. 'Puck, ik word gek van het denken, het is net een achtbaan in mijn hoofd.'
Puck kijkt naar het groepje klasgenoten. Casper staat nog steeds te dollen met Wiep. 'Laat ze barsten!' Ze trekt Katja van de fiets af, geeft haar een arm en draait haar een slag om. 'Dit uitzicht is véél leuker!'
Dan proesten ze het uit. Voor hen staat Rozemeijer.

Onder het avondeten kwebbelt Anouk aan één stuk door. Over paarden die voedselnijd hebben en hun stal vernielen. Over een paard dat in een appelboomgaard stond te grazen en door de afgevallen appels stomdronken was geworden! En dat ze nu ook paardenproducten gebruikt. 'Die zijn zo goed voor een mens! Van paardenstaartextract krijg je sterke nagels, want die hebben het bij het uitmesten vreselijk te verduren. En paardenkastanje zorgt voor een betere doorbloeding van je benen.' Ze wil later absoluut geen spataderen krijgen van die krappe rijlaarzen. 'Wist je dat paardenshampoo...'

'Hou op!' gilt Katja. 'Nog even en je begint te hinniken!'
'Je bent gewoon jaloers,' zegt Anouk op een treiterig toontje.
'Waar slaat dat nou op?'
'Op jouw populaire klasgenoten. Op Wiep, Mira en Chantal, omdat die ook op paardrijden zitten.'
Het bloed trekt uit Katja's gezicht. Zit Wiep op paardrijden? Daar heeft Casper niets over gezegd. Zou hij daarom telkens naar de manege willen? Wiep probeert immers op alle mogelijke manieren tussen haar en Casper te komen. 'Hoe lang al?' Ze hoort dat haar stem overslaat.
Anouk hoort het ook. 'Leuke meiden! Ze rijden bij ons in de les. Wiep is gewoon een natuurtalent!'
'Eten jullie eens door,' zegt hun moeder. Dan kijkt ze naar haar man en vraagt: 'Heeft Van Arkel al iets over zijn gestolen paard gehoord?'
Gespannen kijkt Katja haar vader aan. 'Ik heb hem amper gesproken,' zegt hij mat.
'Dat paard is bij onze maatschappij verzekerd. Als het niet wordt gevonden, vangt Van Arkel een klap geld. Dat beest was vijftigduizend euro waard.'
Katja's mond valt open. 'Is een paard zo duur?'
'Deze wel,' zegt haar vader. 'Ze is zeven jaar oud. In haar topjaren, dus veelbelovend. Van Arkel reed er ZZ licht mee, wat dat ook mag betekenen.'
Katja's maag knijpt samen. Een misselijk gevoel kruipt omhoog. Ze zit echt diep in de shit. Zou ze alles eerlijk vertellen? Dan kan Van Arkel naar de politie gaan. Misschien vinden ze die vent wel. Dan kan haar vader niet meer stuk bij zijn baas! Misschien is haar vader dan wel net zo trots op haar als op Anouk. Of niet... Ze staart naar de bami op haar bord. Het is net of het lintwormen zijn die door elkaar kronkelen. Een golf eten komt naar boven. Met een hand voor haar mond rent ze de kamer uit.

Boven zet ze de computer aan. Ze tikt pensioenstal in. Er verschijnen allerlei namen van stallen, maar niet één heet er Bellamy.
Gewoon Bellamy intikken?
Er verschijnt een site. Ze opent hem. Ze ziet een zachtgroene achtergrond met prachtige foto's van paarden. *Uw paard op rust in de natuur.*
De site is verdeeld in kopjes. Katja tikt het eerste kopje aan. *De stallen: De stallen zijn volledig aangepast aan het rustende en bejaarde paard. Lucht en licht zijn voor ons belangrijk.* En dan ziet ze een foto van een paard dat tot zijn knieën in het stro staat. Katja tikt kopje voor kopje aan en leest ze aandachtig. Als laatste staat daar een foto van een man, een boerderij, een buitenbak, een stapmolen en de wasplaats. *Getekend: Ben Bosman.*
Katja kijkt naar de foto van de lachende man. Kippenvel kruipt over haar armen. Deze vent stond met Van Arkel te praten bij die trailer op de markt in Zuidlaren. Deze man stapte in de auto met het logo. Dit is de eigenaar van de pensioenstal!
Ze graait de camera weer uit het tasje, sluit hem aan op de tv en spoelt meteen door naar het laatste stuk. Het is hem! De man op het beeldscherm van haar computer is dezelfde als waarmee Van Arkel staat te praten. Misschien vraagt Van Arkel daar of hij naar zijn gestolen paard uit wil kijken.
Waarom zou Van Arkel hebben gezegd dat hij die dag naar Amsterdam ging? Het is toch geen schande dat je naar je paard gaat zoeken? Zal ze alles aan haar vader vertellen? Veronderstel dat ze door haar het paard terugvinden. Hoeft hun verzekering niet uit te betalen. Maar dan weet haar vader wel dat ze op de manege is geweest en vertrouwt hij haar nooit meer. Ze verbergt haar gezicht in haar handen. Ze wordt tu-

reluurs van dat denken. Haar hoofd zit bomvol. Zat er maar een klepje in zodat ze het leeg kon schudden. Net als ze de camera uit wil zetten, valt haar nog iets op. Nadat de mannen elkaar een hand gegeven hebben, houdt Van Arkel een envelop in zijn hand. Kreeg hij die nou? Ze spoelt terug en bekijkt het fragment keer op keer. Ja, terwijl ze met z'n allen het logo op de auto probeerden te lezen, stak Van Arkel een envelop in zijn binnenzak! Met wat erin? Geld? Dit moet Roy weten! Als ze nu naar de manege gaat, is er misschien nog niemand in de kantine. Snel verstopt ze de camera onder haar bed en rent de trap af.

Ze heeft al één arm in haar jas als haar moeder zegt: 'Kat, wil jij even de kamer stofzuigen? We krijgen zo bezoek.'
Katja kijkt haar moeder wrevelig aan.
'Papa's baas belde net. Hij komt zo langs om te praten over die misgelopen promotie. Hij heeft er een hekel aan dat het zo raar gelopen is. Ik wil even snel douchen, als jij nu stofzuigt en wat opruimt?'
Katja krijgt het bloedheet. Van Arkel? Hier?! Verdoofd hangt ze haar jas terug aan de kapstok. Stel je voor dat hij haar herkent! Puck stond op de markt naast hem bij die snackkar. En tegen haar schreeuwde hij: 'Opzouten!' Ze trekt de stofzuiger uit de kast. Met een vaart zuigt ze de kamer. Ze moet weg zijn voor hij komt. In de keuken hoort ze haar vader koffie zetten. Net als ze de stofzuiger terugzet gaat de bel.
'Kat, doe jij open?' roept haar vader.
'Nee!' gilt ze. Ze stuift de trap op.

Beneden klinken gedempte stemmen. Katja staat voor de spiegel, ze kijkt naar een zwaar opgemaakt gezicht. Toch is het niet genoeg. Uit een laatje haalt ze een brede zwarte haar-

band en doet hem precies op de grens van haar haar en voorhoofd. Zo, nu is ze onherkenbaar. Zoals ze er nu uitziet herkent Van Arkel haar vast en zeker niet. Eerst wilde ze boven blijven, maar ze is zo hartstikke nieuwsgierig naar die baas van haar vader. Ze wil hem van dichtbij bekijken. Op de trap haalt ze een paar keer diep adem, trekt haar korte truitje naar beneden en loopt de kamer in. Haar vader trekt zijn wenkbrauwen op en haar moeders mond valt open. Ze gaat naar Van Arkel toe en geeft hem een hand. Precies zoals haar vader en moeder het haar geleerd hebben. 'Katja.'
Als een veer schiet Van Arkel uit zijn stoel. 'Van Arkel, ik werk met je vader.'
Katja proest het bijna uit als ze haar moeders gezicht ziet.
'Ga je ergens heen?' vraagt die.
'Ik ga naar Puck, ik ben op tijd thuis.'
Haar moeder geeft geen antwoord en haar vader knikt bijna onmerkbaar.
'Dag!' zegt ze tegen Van Arkel, ze steekt haar hand op en ze loopt heupwiegend de kamer uit.

Hij leek aardig. Ook knap voor zijn leeftijd. Mooi pak. Eigenlijk best zielig dat zijn paard gestolen is. Hij heeft vast veel van dat beest gehouden. Man en paard zijn één, dat zeggen ze toch altijd? Ze haalt haar fiets uit de garage. Zou ze nog naar de manege gaan? De bar zal onderhand wel vol zitten, ze kan Roy toch niet meer apart spreken. Dan maar naar Puck, die moet het ook weten van die envelop.
Ze stapt op haar fiets en rijdt het pad af. Dan ziet ze de auto die pal voor de uitrit geparkeerd staat. Ze springt op de grond en staart met schrikogen naar de wagen. Wat doet die hier? Een koude rilling loopt over haar rug. Ze laat haar fiets in de heg vallen en loopt naar de jeep toe. Dit is precies zo'n auto

als toen die avond bij de manege! Een Land Rover. Ze sluipt eromheen en gluurt naar binnen. Een bungelend wit skeletje grijnst haar aan. Katja slikt. Is dit Van Arkels auto? Ze kijkt om zich heen, maar er staat geen andere vreemde auto in de straat. Weer gluurt ze door het raam. Dan voelt ze zich ijskoud worden. Op de achterbank liggen, half onder een plastic tasje, haar handschoenen! Er steekt maar een gedeelte onder het tasje uit, maar ze zijn het echt. Niemand heeft zulke roze glitterhandschoenen als zij. Zelfs Anouk was er jaloers op. Hoe komen die daar? Dan heeft ze ze dus wel op de manege verloren en heeft Van Arkel ze gevonden? Beelden flitsen door haar hoofd. Nu ziet ze zichzelf haar handschoenen op het dak van de auto leggen op de avond van de diefstal. Duizelig zoekt ze steun aan de wagen. Ze krijgt het warm en koud tegelijk. Stel dat haar vader straks mee naar de auto loopt en haar handschoenen ziet liggen! Ze heeft ze van hem cadeau gekregen. Ze moet ze eruit halen, nu meteen! Ze gaat op haar tenen staan en gluurt over het dak van de auto. Ze kan zo net schuin de kamer in kijken. Ze ziet haar vader met Van Arkel praten. Haar moeder loopt naar de keuken.
Met één vinger trekt ze voorzichtig aan het handvat van het portier. Klik. De deur springt open. Slordige gewoonte van die man om zijn auto niet op slot te doen. Langzaam trekt ze het portier verder open. Alstublieft, alstublieft, laat er alstublieft geen alarm afgaan. Met ingehouden adem wacht ze af. Alles blijft stil. Ze zakt door haar knieën en steekt haar arm door de kier. Haar hand reikt naar de achterbank. Hebbes! Ze trekt de handschoenen naar zich toe, maar het plastic tasje schuift mee en valt van de zitting. Nerveus probeert ze het weer net zo te schikken als het lag. Wat zou erin zitten? Langzaam trekt ze het tasje weer naar zich toe. Aarzelend gaat haar hand erin. Met een schok schiet ze terug. Wat was

dat? Een dooie kat? Weer voelt ze in het tasje en trekt dan een pluk haar tevoorschijn. Er rolt een pruik uit. Een grijze pruik met krullen. Ze huivert. Er zit nog meer in! Haar hart gaat als een gek tekeer. Ze trekt een pet tevoorschijn! Een bruine geruite pet! Als ze de pet omdraait, valt er iets op de grond. Het is een bril met donkere glazen…

6

Ontzet staart Katja naar de spullen. Dit heeft ze eerder gezien! Dit is van de man die het paard gestolen heeft! Deze auto, deze Land Rover *is van haar vaders baas!*
Hè? Heeft hij zijn eigen paard gestolen?
Vermomd?
Hebben ze hém geholpen?
Dan heeft ze haar handschoenen op het dak van Van Arkels auto gelegd!
Ze drukt haar koude handen om haar hals om rustig te blijven. Ze moet nadenken. Waarom was hij op de markt in Zuidlaren? Om zijn paard te zoeken of te verkopen? Vertelde haar vader niet dat Van Arkel zo veel geld van de verzekering krijgt? Dus hij steelt zijn eigen paard, verkoopt het en wil ook nog eens geld van de verzekering vangen? Maar dan is het een oplichter, een ordinaire dief!
Het misselijke gevoel is terug. De straat golft onder haar voeten. Met trillende handen stopt ze alles terug en legt het tasje weer op de achterbank. De handschoenen propt ze in haar jaszak. Zachtjes klikt ze het portier dicht.

Ze wil wegrennen, maar haar benen zijn zo slap dat ze zelfs moeite heeft om overeind te blijven. Hoe zag de dief er precies uit? Het vage beeld in haar hoofd wordt scherper. Hij was

lang en slank, hij had grijze krullen, een bril en een pet op. Zo zou Van Arkel eruit kunnen zien als hij die spullen aan zou hebben. Weer kijkt ze de huiskamer in. Zie hem daar zitten, breeduit en zelfverzekerd, wat een arrogante kwast. Ze ziet haar vader nerveus kuchen en opkijken naar zijn baas. Naar die oplichter. Haar vader lijkt wel bang! Zelf is ze ook bang. Was die vent maar bang.
Ze sluit haar ogen en drukt haar voorhoofd tegen het koude raam. Ineens hoort ze de voordeur opengaan. Shit, ze is te laat! Katja duikt omlaag.
Ze hoort de luide stem van Van Arkel. 'Ik hoop dat alle misverstanden uit de wereld zijn en dat we elkaar weer recht in de ogen kunnen kijken.'
'Ja, ja,' stamelt haar vader.
'Bedankt voor de heerlijke koffie, mevrouw.'
'Goedenavond,' zegt haar moeder.
'Waar staat je auto?' vraagt haar vader.
'Ik ben met de jeep. De BMW moest voor een apk'tje. Tot morgen.'
De voordeur slaat dicht.
Op haar hurken sluipt Katja naar de achterkant van de wagen. Ze hoort zijn voetstappen. Het portier gaat open. Nu moet ze snel oversteken en het pad op rennen.
Ze springt op… Als een blok beton staat hij voor haar.
Ze geeft een gesmoord gilletje.
Hij pakt haar ruw beet en duwt haar tegen de achterkant van de auto. 'Zo, dacht je dat ik je niet herkende? Dat jij mij met die zwarte ogen voor de gek kon houden?'
Angstig kijkt ze hem aan. 'Hoe…?'
'Ja, hoe weet ik dat je in mijn auto zat te snuffelen? Domme trut! Er gaat toch een lampje branden? Maar niet bij jou! Ik kon je zo zien vanuit mijn comfortabele stoel.'

Hij kijkt door het raam op de achterbank. 'Zo, ik zie dat je ze gevonden hebt. Je handschoentjes. Ineens wist ik wie dat meisje was daar op de Zuidlaardermarkt met die filmcamera! Hetzelfde meisje dat mij die avond zo goed geholpen had. Dat kon geen toeval zijn. En vanavond sta je ineens weer voor me. Dat was niet zo'n slimme zet. Dus jij bent de dochter van Thijs Verdonk? Eigenlijk kan dat niet beroerder. Nu hebben wij een probleem.' Zijn hand knelt om haar pols. Zijn nagels boren in haar vlees. Een valse lach kruipt om zijn mond. Ze schrikt van de blik in zijn ogen. Hij drukt haar bijna plat. Ze ruikt zijn dure aftershave. Zijn stem klinkt hees. 'Eén woord, één kik en ik zal er persoonlijk voor zorgen dat jij en je dikke vriendin het niet na kunnen vertellen. Ben ik duidelijk?'
Zijn adem ruikt naar koffie. Hij knijpt nog harder. 'Je zou toch niet willen dat je vader zonder baan komt te zitten? Die arme man werkt zo hard! Zijn lot ligt in jouw handen! Dus mondje dicht!' Hij blaast zachtjes over haar gezicht en kijkt haar broeierig aan. Zijn smalle lippen trillen. 'Je bent een lekker ding, weet je dat? Misschien wil ik je nog eens zien. Ik ga je bellen.'
Abrupt laat hij los, stapt in zijn auto en rijdt weg.

7

De volgende morgen zit Katja met een grauwgrijs gezicht en wallen onder haar ogen in de klas.
'Ben je niet lekker?' vraagt Puck.
Katja knikt flauwtjes. Nu heeft Noteboom al twee keer iets uitgelegd en nog dringt het niet tot haar door. Steeds ziet ze dat dreigende gezicht voor zich. Ze heeft de manchetten van haar bloes naar beneden geslagen want bij haar pols zit een lelijke blauwe plek. Ook op haar bovenarmen. Ze moest vannacht in bed zo huilen, dat ze amper kon stoppen en nu prikken de tranen alweer achter haar ogen. Ze probeert er niet aan te denken. Ze kan toch moeilijk in de klas in snikken uitbarsten. Eindelijk gaat de bel. Ze stopt haar boeken in haar tas en sloft naar buiten. Puck hobbelt achter haar aan.
'Kat, ik heb zo gedacht,' begint Puck, en ze neemt een grote hap uit haar boterham, 'dat we toch maar naar de politie moeten gaan. Wij wisten toch niet wat we deden? Wat kunnen ze ons eigenlijk maken?'
Katja schudt haar hoofd. 'Te laat, Puck.' Haar onderlip begint gevaarlijk te trillen.
Verschrikt kijkt Puck haar aan. 'Kat, wat is er?'
'Uit school,' zegt Katja met een dun stemmetje. 'Er is zoiets ergs gebeurd.'

Puck wil nog veel meer vragen maar Casper komt hun kant op lopen.
Wijdbeens gaat hij voor Katja staan. 'Wat zie jij er beroerd uit.'
'Ze is niet lekker,' antwoordt Puck.
'Kan ze zelf niet praten?'
Katja kijkt hem moe aan. 'Ik voel me niet goed,' zegt ze zacht.
'Wat mankeer je?'
'Last van bemoeizucht!' snauwt Puck.
'Ach, lazer op!' Kwaad draait hij zich om en loopt weg.
'Heb je nou verkering met hem?'
'Daar heb jij net een eind aan gemaakt,' zegt Katja.
Dan schieten ze allebei in de lach.

Katja moet huiswerk maken, maar ze kan het niet. Ze probeert de tekst te lezen maar ze blijft al bij de eerste regels steken. Angstig dwaalt haar blik naar haar mobieltje. Telkens ziet ze dat gezicht weer voor zich. Ineens weet ze het zeker, ze gaat naar Roy. Ze gaat hem alles vertellen. Roy moet haar helpen. Ze is zo bang voor Van Arkel. Straks staat hij haar ergens op te wachten, en dan...?

Als ze de straat uit fietst, komt Puck eraan rijden. 'Hi, darling, waar gaat de reis heen?'
'Naar Roy,' zegt Katja mat.
Puck maakt een grote draai en gaat naast Katja fietsen. 'Vertel het maar aan je allerbeste vriendin. Wat is er zo verschrikkelijk?'
'Je hoort het zo bij Roy, anders moet ik het twee keer vertellen.'
Casper doet open. Zijn gezicht staat meteen een stuk opgewekter. 'Ik weet waar jij voor komt,' zegt hij tegen Katja. 'Je hebt spijt dat je zo lelijk tegen me deed.'

Puck duwt Katja opzij en richt zich tot Casper. 'Wat heb jij toch een kapsones! Ik deed lelijk en ik heb nergens spijt van.'
Met een ruk trekt Casper Katja naar zich toe. 'Je moet toch eens naar een andere vriendin uitkijken.'
'Wiep zeker?' zegt Puck vals.
Om ruzie te voorkomen zegt Katja snel: 'Is Roy thuis?'
Terwijl Casper Puck vuil aankijkt zegt hij: 'Nog wel, maar hij gaat zo naar de manege.'
Met z'n drieën lopen ze naar boven.
Roy springt op en trekt zijn dekbed recht. 'Neem plaats, dames.'
Katja is bloednerveus.
Roy schuift zijn stoel vlak voor haar en legt zijn handen op haar knieën. 'Kat, wat is er aan de hand? Waarom zie jij er zo belabberd uit?'
Katja's onderlip trilt. Met horten en stoten vertelt ze hem alles tot aan de bedreiging van gisteravond toe.
Van het laatste schrikt Puck ook. Roy springt op en ijsbeert heen en weer. Zijn mond is een dun streepje en zijn kaken trillen. Casper gaat naast haar zitten en slaat een arm om haar heen.
Met een stem van ingehouden woede begint Roy te vertellen. 'Drie weken geleden, ik werkte pas op de manege, dus ik kende hem nog niet, zat Van Arkel bij me aan de bar. Behoorlijk dronken. Het was al laat, iedereen was naar huis. Hij zat daar maar te snotteren en te jammeren dat zijn peperdure paard voor de zoveelste keer kreupel was. Hij kon er niet meer op rijden. Alle grote wedstrijden gingen aan zijn neus voorbij.'
Katja zet grote ogen op. 'Dus dat paard is niks meer waard?'
'Zo veel verstand heb ik niet van paarden,' zegt Roy, 'maar vijftigduizend euro krijgt hij er vast niet meer voor. Misschien slachtprijs.'

Slachtprijs! Katja rilt van het woord.
'Het zit waarschijnlijk zo,' zegt Roy. 'Van Arkel brengt zijn paard naar een pensioenstal, daar krijgt het dier in ieder geval een fijne oude dag én Van Arkel vangt een smak geld van de verzekering.'
'Vijftigduizend euro.' Er klinkt ontzag in Caspers stem.
'Dus, zolang wij onze mond houden, is er niets aan de hand?' vraagt Puck. 'Dan zal Van Arkel ons niks doen?'
'Hij gaat me bellen,' zegt Katja met een bibberstem.
'Hij weet je 06 toch niet?' zegt Casper.
'Daar kan hij gemakkelijk achter komen.'
'Hij is bang dat je hem verraadt,' zegt Casper.
Katja knikt. Ze had nooit naar beneden moeten gaan. Waarom is ze toch zo nieuwsgierig? Waarom denkt ze altijd iedereen te slim af te zijn? Hij had het meteen door, herkende haar onmiddellijk.
'Let wel,' zegt Roy en hij steekt waarschuwend een vinger op. 'Hij speelt dat zijn paard gestolen is. Als dat paard gevonden wordt, kan hij jullie niet chanteren. Dan zal hij zelfs moeten doen alsof hij blij is.'
Katja veert op. 'We moeten dat paard vinden! Zullen we zaterdag met zijn vieren naar Drenthe gaan? Kijken of ze bij die pensioenstal loopt?'
'Sorry, Kat, ik kan niet weg. Er zijn op de manege wedstrijden georganiseerd. Ze verwachten zo'n drukte dat zelfs Casper me moet helpen.'
Katja bijt op haar lip en kijkt Puck smekend aan. 'Zullen wij dan samen gaan?'
Puck trekt een ik-weet-het-niet-gezicht.
Een poosje staren ze stil voor zich uit. Dan zegt Katja: 'Als dat paard daar is, herken ik hem. Dat weet ik zeker. Ik zie dat hoofd, met die witte bles, nog zo voor me. Dan kunnen we haar zondag met jouw auto ophalen.'

Roy schiet in de lach. 'Met die Beetle? Ten eerste heb ik geen trekhaak en ten tweede kan dat karretje van mij echt geen trailer met een paard trekken.'
'Je kunt toch een auto van de manege lenen?' zegt Casper. 'Die hebben hun eigen jeeps en trailers! Als Kat er nu zeker van is? Dan wachten we tot het donker is en jatten we haar terug.'
Katja kijkt Roy vol verwachting aan.
'Ga eerst maar kijken óf ze er is,' zegt Roy. 'En als ze er is, doen jullie niks en komen jullie braaf weer naar huis. Ga in ieder geval geen gevaarlijke capriolen uithalen. Dan kunnen we er later met z'n vieren heen.'
Katja reageert niet.
'Kat, hoor je me?' zegt Roy streng.
'Jaha.'
Puck trekt een zuinig gezicht. 'Alweer naar Drenthe? Ik heb eerlijk gezegd geen cent meer te makken. Ik ben zo arm als een kerkrat!'
Alsof het de normaalste zaak van de wereld is trekt Roy zijn portemonnee tevoorschijn en geeft hun ieder vijfentwintig euro. Blij springen ze op en geven hem een stevige zoen.
'Had ik maar geld,' verzucht Casper.

8

Zaterdagochtend. Katja is er vroeg uit. Samen met Anouk en haar vader zit ze aan de ontbijttafel. Jaloers kijkt ze naar Anouk. Die ziet er weer oogverblindend uit in haar nieuwe rijkleren. Een lavendelblauwe rijbroek met ingezette leren stukken en een bijpassend truitje. Keigaaf!
Hun vader ziet het ook. 'Dat zal een aardige duit gekost hebben.'
'Niks meer of minder dan mijn andere kleren,' zegt Anouk uit de hoogte.
Gepikeerd vouwt hun vader de krant op en legt hem met een klap op tafel. 'Jij steekt je geld alleen nog maar in merkkleding, maar het enige wat die merken doen, is jou uitkleden!'
'Moet ik toch weten,' pruttelt Anouk, 'ik heb het zelf verdiend met folders bezorgen.'
Zonder nog iets te zeggen loopt hun vader van tafel weg.
'Sinds hij die promotie is misgelopen is hij niet meer te genieten,' klaagt Anouk. 'Wat ga jij vandaag doen?'
'Naar het zwemparadijs met Puck,' zegt Katja.
Anouk knikt.
Katja smeert een stapel boterhammen voor onderweg.
Anouk staat op. 'Er zijn vandaag wedstrijden op de manege. Jantien en ik zijn benoemd tot ringmeester. We moeten ervoor zorgen dat alles goed verloopt en dat de deelnemers op tijd in de bak zijn om hun proef te rijden.'

'Veel succes,' zegt Katja. Het liefst was ze er ook heen gegaan. Maar ze moet achter die stomme knol aan! Ze kijkt op de klok. Shit! Ze moet zich haasten, anders mist ze de trein. Snel graait ze haar spullen bij elkaar, stopt ze in haar tas en spurt op haar fiets naar het station.
Puck staat al te wachten. 'Waar bleef je nou?!'
'Ik ben er toch?'
Ze kopen een kaartje bij de automaat. In de verte komt de trein al aan.

Ze moeten een paar keer overstappen, maar ze hebben niet één keer vertraging. Na station Assen moeten ze verder met de bus. Het is een heel stuk naar Dwingeloo. Puck heeft het reisschema uitgeprint en alles klopt.
Pensioenstal Bellamy ligt net buiten Dwingeloo.
In het centrum van Dwingeloo kiezen ze een restaurantje uit en bestellen thee. Ze krijgen er een plak cake bij. Puck zit te smikkelen. Na de laatste hap klaagt ze: 'Ik word echt te dik, ik krijg zelfs putjes in mijn billen!'
'Moet je maar niet zoveel snoepen.'
'Ik ga lijnen. Morgen ga ik beginnen, doe je mee?'
Katja zuigt haar onderlip naar binnen. 'Goed, geen patat, ijs en chips meer.'
'En geen verrukkelijke chocola!' zegt Puck overdreven. 'Overdag heb ik er niet zo veel erg in hoor, maar 's avonds verveel ik me rot. Marcel wil alleen maar nieuwsprogamma's zien. Vooral als er ergens een brand is geweest moeten we alles van a tot z kijken. Hij vindt dat helemaal geweldig, onze brandweerman! En mijn moeder vindt alles weer geweldig wat haar vriend vindt. Zelfs voetbal! Dus ik kijk boven televisie. En dan ga ik snaaien.'
'Snaai een appel of een paar worteltjes.'

Puck haalt haar neus op. 'Wortels zijn voor de konijnen.'
'Liters water drinken is ook goed.'
'Getver, water is voor de kikkers.' Een dikke vrouw wurmt zich tussen de tafeltjes door en gaat hijgend zitten. 'Appels lust ik wel!' zegt Puck snel.

Ze wandelen het dorp uit. Nergens is een manege of iets wat erop lijkt. Wel veel verlaten campings. Ze vragen aan een boer die huifkarren verhuurt of hij weet waar stal Bellamy is. De man gaat naar binnen om met zijn vrouw te overleggen. Als hij terugkomt, wijst hij in de verte. 'Achter die kerktoren moeten jullie zijn. Je kunt beter een fiets huren bij de fietsenmaker op de Brink, want lopend is het een heel eind.'
Even later fietsen ze door het mooie Drentse landschap.

'Het gaat een leuke dag worden en we vinden dat paard vast!' zegt Puck opgewekt.
Ze roetsjen een heuveltje af. Het kerktorentje wordt snel groter. Af en toe verdwijnt het achter de bomen, maar steeds duikt het op en telkens een stukje dichterbij. Nog voor ze de eerste huizen bereiken, passeren ze een boerderij die een stuk van de weg af staat.
Het huis heeft een laag rieten dak en er staat een flinke stal naast. De dorsdeuren staan wijd open. Erboven hangt een ovaal bord waar in sierlijke letters STAL BELLAMY op staat.
In de omliggende weilanden grazen tientallen paarden.
Op het erf staat een jeep met trailer geparkeerd.
Tegelijk springen ze van hun fiets. 'Dit is het!' roept Katja.
'Wat een paarden lopen hier!' zegt Puck. 'Zie je ons paard?'
'Jemig, Puck, we zijn er net! Mag ik effe kijken?' Katja tuurt met haar hand boven haar ogen. 'Ze lopen te ver weg.'
'We kunnen moeilijk het erf op rijden,' zegt Puck.

Katja kijkt hoe ze ongezien dichterbij kunnen komen. Verderop is een smalle landweg. Als ze die opgaan en hun fietsen ergens langs de kant in de berm leggen, kunnen ze via het weiland naar de bomensingel lopen. Zo zijn ze niet te zien en kunnen ze de paarden van dichtbij bekijken. Puck vindt het een grandioos plan, want ze crosst al vooruit.

Ze leggen hun fiets halverwege de ventweg in het gras en klimmen door het hek van prikkeldraad. Gebukt rennen ze naar de singel toe. De bladeren aan de takken ruisen knisperend in het zachte briesje. In de verte slaat de kerkklok één uur. Ze banen zich een pad naar voren en komen aan de rand van het weiland waar de paarden grazen. Een paard dat vlak bij hen staat, schrikt op. Een zilvergrijze komt nieuwsgierig hun kant op lopen.
'Die is echt hoogbejaard!' zegt Puck.
Katja giert het uit. 'Dat is een appelschimmel!'
'Is hij dan niet oud?'
'Aan zijn gebit én aan de deuken boven zijn ogen kun je zien of hij oud is. Diepe deuken, hoge leeftijd. Weet ik allemaal van Anoukipoek. Die kletst al dagenlang de oren van mijn hoofd. Maar deze paarden zullen wel stokoud zijn, anders staan ze hier niet.'
'Zullen er binnen nog meer zijn?'
Katja haalt haar schouders op. 'De dorsdeuren staan open, we zouden kunnen gaan kijken.'
'Eerst zeker weten of er niemand is,' zegt Puck aarzelend.
Om het weiland schommelt een draad die vastzit aan stokken die in de grond gestoken zijn. 'Niet aanraken,' waarschuwt Katja, 'daar staat stroom op.'
'Hierop?' Puck pakt het draad vast. Met een gil trekt ze haar hand terug. 'Tjee, legde ik bijna het loodje!'

Katja plast haast in haar broek van het lachen.
'Hou op met dat stomme gegrinnik,' zegt Puck beledigd en ze wrijft over haar pijnlijke arm.
Bij de boerderij komt een man naar buiten. Hij loopt naar de trailer, maakt de klep open en gaat de schuur in. Katja trekt Puck aan haar mouw. 'Het is 'm! Het is dezelfde vent als op de film! We zitten goed! Kom, we gaan dichterbij!'
Ze banjeren door de struiken. Puck blijft met haar jaszak aan een tak haken. De zak scheurt uit. Als Katja omkijkt, zwiept er een tak in haar gezicht. De tranen springen in haar ogen. 'Kanonnen, je hebt hier een kapmes nodig.' Ze blijven gehurkt achter de heesters zitten. De trailer staat amper vijftien meter bij hen vandaan. Ze kunnen zo naar binnen kijken.
Opeens komt de man weer uit de schuur. Hij duwt een kruiwagen waar een baal stro op ligt. Hij rijdt de kruiwagen tot voor de klep, gaat met de baal de trailer in en verdeelt het stro over de bodem. Daarna zet hij de kruiwagen terug. Dan gaat hij naar het weiland aan de andere kant van de boerderij.
Ademloos kijken Katja en Puck toe.
Even later komt hij met een paard aanlopen. Af en toe gaat zijn hand in zijn zak en voert hij het beest iets. Moeiteloos loopt hij met het paard de trailer in. Katja krijgt een rare draai in haar buik. Dat zwarte dek met rode banden. Die lange staart tot bijna op de grond. Die witte bles. Geen twijfel mogelijk. Ze kijkt schuin naar Pucks gezicht dat knalrood is geworden. 'Dat was 'm hè?' fluistert Katja.
'Ik had het nooit verwacht,' fluistert Puck. 'Ik had nooit gedacht dat we hem zouden vinden. En zo snel, we hebben niet eens een plan bedacht. Wat nu?'
'Jij weet ook zeker dat het hem is, hè?' vraagt Katja voor de zekerheid.
Puck knikt heftig. 'Ik kan me nog goed herinneren dat hij

drie witte sokken had. En dat mooie zwarte dek, dat heeft deze ook.'
'Toch klopt er iets niet,' zegt Katja, 'Dit paard gaat moeiteloos de trailer in.'
De man gooit de klep dicht. Net als hij weer naar binnen wil gaan, gaat zijn telefoon in de auto af. Half zittend, met het portier wijd open, neemt hij op.
De meisjes kunnen flarden van het gesprek verstaan.
'Ik vertrek... anderhalf uur... Polen.' Ze horen hem bulderend lachen. 'Drachtig. In een onbewaakt ogenblik... Gebeurt vaker. Veulen... een smak geld.... weet nergens van.'
Hij drukt zijn telefoon uit en gaat naar binnen.
'Waar had hij het over?' vraagt Puck.
'Dat hij naar Polen gaat,' zegt Katja.
'Over anderhalf uur,' vult Puck aan.
'En dat dat paard drachtig is?'
'En dat het veulen veel geld opbrengt.'

Het is alsof Katja een klap op haar kop krijgt. 'We moeten die trailer tegenhouden! Ik bel Roy!' Ze zoekt Roys nummer op. Net als Katja denkt dat ze zijn voicemail in moet spreken, neemt hij op. 'Roy.'
'Met Kat. Je zult het niet geloven, we hebben hem gevonden! Maar hij staat in een trailer en vertrekt over anderhalf uur naar Polen. Jullie moeten meteen komen!'
'Ho, wacht even, wat zeg je, Polen?'
'Ja, kom snel!'
'Kat, ik heb al twee uur werk om in Drenthe te komen. En het is hier een gekkenhuis, ik kan er zomaar niet tussenuit.'
'Roy, als die trailer de grens over gaat, komt dat paard nooit meer terug!'
Aan de andere kant wordt er druk overlegd. Met Casper?

Katja duwt het mobieltje zo hard tegen haar oor dat het begint te piepen. 'Ben je er nog?'
Geen antwoord.
'Roy!'
'Ja?'
'Het paard is drachtig en Van Arkel weet het niet. Dat hoorden we die boer zeggen. Dat veulen is ook veel geld waard.'
'Asjemenou.' Dan klinkt het resoluut: 'We komen! Probeer die vent zo lang mogelijk vast te houden. Ik neem een trailer mee. Wat is het adres?'
Katja noemt het adres en verbreekt de verbinding. 'Hij komt.'
Puck zucht opgelucht. 'Gelukkig. Nu hoeven wij niks meer te doen.'
'Dat had je gedacht, we moeten die vent afleiden.'
Pucks mond valt open. 'Wat?'
'Anders komen de jongens te laat.'
Benauwd kijkt Puck haar aan. 'Ik moet poepen.'
Katja schiet in de lach. 'Ga in de bosjes.'
'Waar is die boer?' Puck kijkt rond.
Katja ziet dat haar vriendin rode vlekken in haar nek heeft. Zelf is ze ook nerveus. Want hoe leid je iemand af? Ineens krijgt ze een idee. 'Puck, ik weet wat we moeten doen!'
'Van jouw gezicht alleen al doe ik het in mijn broek.' Puck houdt met twee handen haar buik vast. 'Nou, vertel!'
'We halen dat paard uit de trailer, we gaan naar onze fietsen en we fietsen met het paard naast ons het dorp uit. Daarna verstoppen we ons in het bos tot de jongens er zijn.'
Puck kijkt Katja met grote ogen aan. 'Durf ik dat?'
Katja grinnikt. 'Die vent zal raar opkijken als hij ontdekt dat dat beest weg is.'
'Nou, ik weet het niet, hoor.' Puck krabt bedenkelijk aan haar neus. 'Zo'n paard naast je fiets. En wat als hij ons betrapt?'

'Hij gaat echt niet naar de politie. Nou, ga poepen. Ik maak alvast het paard los. Houd jij de wacht?'
Puck kijkt bedenkelijk. 'Ik vind het wel doodeng, hoor.' En met een noodgang duikt ze de bosjes in.

Katja steekt gebukt het erf over. Door het kleine zijdeurtje klimt ze in de trailer. Het paard schraapt ongeduldig met haar hoeven over de bodem. Als ze het touw los wil maken, begint ze te schudden met haar hoofd. Katja fluistert lieve woordjes. Toch stapt het paard bang achteruit en ze botst met haar kont tegen een ijzeren dwarsbalk aan. Nu zit de knoop muurvast. Kanonnen! Ze krijgt het er heet van. Ze plukt hooi uit het net en houdt dat voor haar neus. Maar het beest trekt haar hoofd terug en legt haar oren plat. Oren plat betekent uitkijken. Katja bijt op haar onderlip. Het zal niet meevallen met dit paard naast je fiets. Tussen het stro ziet ze een appel liggen. Ze houdt haar de lekkernij voor. Het beest snuffelt eraan en bijt er dan grote happen uit. Bij het laatste stukje houdt ze haar hand goed plat zodat ze haar niet kan bijten. Nu kleven haar handen. Ze veegt ze af aan haar broek. Weer probeert ze de knoop en weer lukt het niet. Ze vindt het ontzettend vies, maar toch zet ze haar tanden in het touw. Het werkt. Eindelijk is het paard los.

Ze bukt om weer door het zijdeurtje naar buiten te gaan. Net als ze het verder open wil duwen, wordt het voor haar neus dichtgeslagen. Verlamd staart ze naar de dichte wand. Ze hoort het portier van de auto dichtslaan. De motor start, de trailer beweegt, ze rijden! Het paard stapt opzij, bijna op haar hand.
Katja ramt met haar hele gewicht tegen het deurtje. Ze moet eruit! Maar het zit potdicht!

Ze springt op.
Wat nu?
Gillen?
Op het schot bonken?
Waar is Puck, verdorie! Ze duikt onder het paardenhoofd door en gaat naar de lege kant van de trailer. Wankelend langs het schot loopt ze naar de achterklep. Met twee handen grijpt ze de klep vast. Ze kan net over de rand kijken. Boven de struiken steekt het geschrokken hoofd van Puck uit. Een paar seconden kijken ze elkaar met grote, bange ogen aan. Dan draait de auto de weg op. Katja ziet de bomen langsflitsen en het lijkt alsof ze wordt weggezogen uit de werkelijkheid. Het paard snuift en hinnikt. Langzaam zakt Katja in elkaar en blijft in het stro zitten. Dit kan niet waar zijn! Dit gebeurt niet! Angstig slaat ze haar handen voor haar ogen. Nu dringt het pas goed tot haar door. Ze is onderweg naar Polen!

9

Ze kruipt naar voren en gaat naast het paard zitten. Het is een tweepaardstrailer, dus ze heeft gelukkig alle ruimte. Maar ze hobbelt en schommelt verschrikkelijk heen en weer. Haar mobieltje gaat.
Het is Puck. 'Hij kwam ineens naar buiten! Ik kon je niet waarschuwen, ik wist niet waar je zat!'
Het paard tilt haar staart op en laat grote kledders mest vallen. De scherpe geur prikt in Katja's neus.
'Ben je er nog?' vraagt Puck.
'Ja,' zegt Katja zacht. 'Wat moet ik doen, Puck?'
'Spring eruit!'
'Dat kan niet! En dat durf ik ook niet, hoor!' Ze wordt misselijk van die lucht. 'Hij zal toch niet in één keer door naar Polen rijden? Hij moet toch ook eten? Bij de eerste de beste stop klim ik over de klep en spring ik eruit. Dan bel ik je onmiddellijk waar ik zit.'
'Als hij maar stopt,' piept Puck. 'Als hij je maar niet ziet, straks vermoordt hij je nog.'
'Doe effe lekker zeg! Ze vermoorden je niet zomaar. Luister. Bel naar Roy en Casper en vertel wat er gebeurd is. Zodra ze jou opgepikt hebben, moeten jullie achter mij aan komen. Vanuit Drenthe zit je zo in Duitsland. Tenminste, ik denk dat hij zo gaat rijden. Ik hou je op de hoogte. Doei.'

'Doei.'
Ze rijden een rotonde op. De trailer botst en schommelt heen en weer. Arm paard, wat moet ze een moeite doen om overeind te blijven.
Katja gaat staan. Als ze op haar tenen staat kan ze door het raampje dat aan de voorkant zit kijken. Er flitst een bord langs. Er stonden drie plaatsnamen op, maar ze kon er in de vaart maar één lezen. Meppel. Ze kan wel janken, zo blij is ze. Het raam zit zo dat ze de borden kan lezen! Nu kan ze precies doorgeven waar ze zit!

Ze pakt haar mobieltje, stopt het weg, pakt het weer en blijft er besluiteloos mee in haar handen zitten. Ze kan niet te veel bellen, anders raakt haar beltegoed op. Bellen vanuit het buitenland is duur en Duitsland is groot. Ze kijkt door het raam of ze weer een bord ziet langskomen. Haar mobieltje piept. Een sms'je. Van Casper! *Hou vol. We komen je redden! XXX Casper.* Ze staart naar het schermpje. Drie kruisjes... Ze vindt hem zo lief. Als ze weer thuis is, gaat ze aan iedereen vertellen dat ze verkering hebben. Dat geheimzinnige gedoe moet afgelopen zijn. Hij is van haar en van niemand anders. Er flitst een bord langs! Ze zag het te laat. Kanonnen, ze moet wel opletten. Ze durft ook niet elke keer naar de klep te lopen, straks merkt die vent dat er iemand in de trailer zit. Ze sluit haar ogen en denkt aan Casper. Hoe hij lacht, hoe hij loopt, hoe hij verlegen zijn ogen neerslaat als hij even niet weet wat hij zeggen moet. Hoe stoer hij tegen zijn vrienden doet. Ze wordt warm en blij van binnen.
Een kwartier later.
Een bord!
ZWOLLE.
Ze toetst Zwolle in. Dat begrijpen ze wel.

Gepiep. Een antwoord. *Zwolle? Kan niet. Beter opletten!* Wat nou, beter opletten? Het stond er toch? Ze is niet achterlijk!

Ze wordt draaierig van het lange staan en gaat weer zitten. Weer piept haar mobiel.
Waar zit je?
Waar zit je? Ze heeft echt geen idee. Ze staat op en kijkt door het raampje. Het paard knabbelt aan de kraag van haar jas. De lucht betrekt, nog even en het gaat regenen. Dan kan ze helemaal niks meer zien door dat smerige raampje. Kan ze niets meer doorgeven en rijden ze voor ze er erg in heeft Polen binnen.
Ze voelt zich zo verdraaid alleen. Hete tranen prikken in haar ogen en haar keel wordt dik. Wat een ellende. Droomde ze maar. Werd ze nu maar wakker in haar warme bedje met Lappie in haar armen. Oh, wat zou ze dat graag willen. Dromen kunnen zo echt zijn. Maar dit is geen droom, dat weet ze zeker. En er is nog iets wat ze zeker weet. Ze bemoeit zich voortaan nergens meer mee. De volgende keer rent ze keihard weg als iemand wat aan haar vraagt.
De trailer gaat een bocht om en nog een. Katja kijkt weer door het raampje. Ze draaien van de snelweg af! En ze heeft niet gezien welke afslag het is! Ze gaat op haar tenen staan om de omgeving te bekijken. Elke aanwijzing is er een. Weer een rotonde. Het paard stapt en trapt. Het is goed dat er in het midden een schot staat, anders valt ze om. Arm beest, geen wonder dat ze een hekel aan een trailer heeft. Er flitst een bord langs. ZUIDWOLDE 2 KM. Die richting gaat ze op! Ze sms't het meteen door. Een berichtje terug. Maar het is niet van Casper. Het is haar moeder. *Pap en ik gaan uit eten en daarna naar de film. Pizza in de vriezer. Kus mama.* Dat komt goed uit. Haar

ouders zullen voorlopig niet naar haar vragen. Misschien gaan ze na de film nog wat drinken en als ze dan midden in de nacht thuiskomen, kijken ze niet meer bij haar in de slaapkamer. En morgen is ze allang weer thuis. Hoopt ze.
Hobbel de bobbel. Wat gebeurt er? Ze gluurt door het raam. Ze rijden een erf bij een grote witte boerderij op. Helemaal aan het einde staan ze stil. Het zweet breekt haar uit. Waar moet ze zich verstoppen als zo meteen de klep opengaat? Daar heeft ze nog niet aan gedacht! Wat als die vent haar ziet? Ze maakt zich klein achter het schot. Haar hart roffelt in haar borstkas. Het portier van de auto slaat dicht. Doodse stilte. Gespannen wacht ze af, maar er gebeurt niets. Ergens verderop slaat een deur dicht. Met gespitste oren zit Katja te luisteren. Zal ze door het raampje gluren? Langzaam komt ze overeind en kijkt door de raampjes. Niemand te zien. Nu moet ze eruit, geen tijd te verliezen. Dit is haar kans! Ze grijpt de achterkant vast, springt omhoog en gaat met haar buik over de klep hangen. Been voor been gooit ze zichzelf over de rand. Haar enkels doen pijn als ze op de grond springt. Ze klopt haar kleren af en kijkt om zich heen. Verderop is een terras met tafels en stoelen. Overal staan grote potten met planten.
Aan het begin van de parkeerplaats staan nog twee auto's. Ze rent naar de overkant van de parkeerplaats waar zo veel bomen staan dat het wel een bos lijkt. Door de struiken loopt ze naar de weg toe. Aan de zijkant van het pad staat een bord in het gras. Ze sluipt eromheen zodat ze kan lezen wat erop staat.
MEN'S CLUB LOLITA. Men's club? Een mannenclub? Holy Mozes! Dit is een seksboerderij! Ze kijkt naar het huis en ziet de rode gordijnen en roze lichtjes achter de ramen. Zou hij dáárom hier zijn? Getver, wat een vieze vent! Maar dan blijft

hij nog wel een poosje weg. Nu kan ze samen met het paard ontsnappen. Alles is nog niet verloren! Langs de weg loopt een fietspad. Via het fietspad kom je in het bos. Ze kan vanaf hier het blauwe paaltje van een wandelroute zien staan. Een stuk verderop staat ook een ANWB-paddenstoel. Allemaal aanwijzingen waar ze rekening mee moet houden. Ze veegt haar klamme handen aan haar broek af. Zal ze het durven, zich met het paard in het bos verstoppen? Als ze het niet doet, rijdt Ben Bosman straks weg en is ze het beest kwijt. Is alles voor niets geweest. Maar dan moet ze nu geen minuut langer nadenken. Elke seconden telt. Ze springt op. Ze durft niet, ze plast bijna in haar broek van angst. Koortsachtig kijkt ze naar het huis. Het is doodstil. Ze schrikt van een ekster die schetterend over haar hoofd vliegt. Ze voelt zich misselijk worden. Over de weg raast een auto voorbij. Kat, doe iets! Dan haalt ze diep adem en rent naar de trailer.

Met een vuist slaat ze de haken aan de zijkant omhoog en geeft een ruk aan de klep. De loopplank komt met een vaart naar beneden. Ze kan hem nog net tegenhouden zodat hij niet op de grond klettert. Wat is dat ding zwaar!
Nu de ijzeren dwarsbalk achter de kont van het paard weghalen. Via de lege kant gaat ze naar voren. Vriendelijk pratend duwt ze het paard naar achteren. Met grote stampende stappen loopt het beest achterstevoren de trailer uit. Nerveus kijkt het snuivend om zich heen. Katja trekt aan het halstertouw. Gelukkig, het paard begint te lopen. De hoeven klakken op de bestrating. Oh, dat zouden ze binnen kunnen horen! Sneller. Ze loopt het erf af en het fietspad op. Ze klakt met haar tong en begint te rennen. Het paard springt in draf. Ze schrikt en gaat gauw langzamer lopen. Zo hard hoeft het nu ook weer niet, straks kan ze haar niet bijhouden. Nog een

stukje en dan is ze bij het bos. In de verte komt een scooter aan. Omdat ze bang is dat het paard zal schrikken, begint ze weer te rennen. Net op tijd is ze bij het blauwe paaltje en duiken ze het bos in. Verderop staat ze hijgend stil. Welke kant zal ze nemen? In ieder geval zo ver mogelijk bij die seksboerderij vandaan. 'Braaf beest.' Ze klopt het paard op zijn hals. Dat heeft ze 'm toch maar even geflikt! Goeie genade, ze heeft de klep niet dichtgedaan! Had die vent misschien niks in de gaten gehad. Nu moet ze maken dat ze zo ver mogelijk komt. Hoe groter de voorsprong, hoe beter. Zou Bosman denken dat het paard ontsnapt is? Nee, zo'n beest krijgt natuurlijk niet zelf de klep open. Een splitsing. Links wordt het bos dichter, dus veiliger. Ze gaat van het wandelpad af en loopt kriskras tussen de bomen door. Plotseling staat het paard stil. Haar oren draaien. Hoort ze wat? Katja geeft een kort rukje aan het touw. 'Kom paardje!' Ze klakt met haar tong, maar het beest blijft staan. Ziet ze iets wat zij niet ziet? Hoort ze iets wat zij niet hoort? Ze houdt haar adem in en luistert. Doodse stilte. Alleen een enkele auto in de verte. Zou ze al ver genoeg zijn? Als ze te diep het bos in gaat, kunnen de jongens haar niet vinden. Straks weet ze zelf de weg niet terug.

'Jij je zin,' zegt ze tegen het paard en ze knoopt het touw vast aan een stevige tak. Ze zoekt een zacht plekje om te zitten. Wat was dat? Ze houdt haar adem in. In de verte hoort ze stemmen die langzaam dichterbij komen. Ze tuurt tussen de bomen door. Verderop ziet ze twee vrouwen wandelen. Ze komen haar kant op. Snel pakt ze haar mobiel en doet net of ze een berichtje intoetst. Op een paar meter afstand passeren de vrouwen. Eén steekt haar hand op. Katja knikt en doet net of ze druk bezig is. Stiekem kijkt ze achterom. De vrouwen lopen door. Opgelucht haalt ze adem, maar haar handen tril-

len. Ze heeft moeite om Caspers nummer te vinden. Na één keer overgaan neemt hij al op.
'Cas, met Katja. Waar zitten jullie?'
'Onder Amersfoort. En jij?'
'Vlak bij Zuidwolde. Ik ben uit de trailer! Die vent stopte bij een seksboerderij. Zo smerig! Ik ben over de klep geklommen en heb het paard eruit gehaald. Nu zit ik in het bos.'
'Ho, ho, wacht eens even! Wat zeg je allemaal?'
'Dat ik in het bos zit met het paard.'
'Holy Mozes!'
Katja hoort ongeloof en bewondering in zijn stem. Ze krijgt een blij gevoel.
'Dat je dat durfde!' zegt Casper. 'Zit je daar veilig?'
'Nog wel. Zodra jullie Puck hebben opgepikt, kom dan naar de seksboerderij bij Zuidwolde. Het is aan een provinciale weg. Ik probeer wel ergens aan de kant van de weg te gaan staan, zodat je me ziet. Dat paard staat hier wel goed verstopt.'
'Blijf voorlopig zitten waar je zit. Ik bel je als we in de buurt zijn. Kat, hou je alsjeblieft schuil. En hang op, straks is je telefoon leeg.'
'Is goed, doei!'
'Doei.'

Casper was supertrots, dat kon ze wel horen. Ze kijkt om zich heen. Plotseling voelt ze zich eenzaam en kwetsbaar. Het paard snuffelt aan de boom en knabbelt wat aan de schors van de stam. Vogels schetteren en maken ruzie met elkaar tussen de bladeren. Achter haar ritselt wat. Katja draait zich met een ruk om, maar ze ziet niets. Misschien een bosmuisje dat onder de bladeren wroet. Wat veel vreemde geluiden hoor je in zo'n bos. Ze plukt wat van het zachte mos dat tussen de

boomwortels groeit en aait ermee langs haar gezicht. Ze hoort weer stemmen. Mannen die opgewonden tegen elkaar schreeuwen. Katja voelt zich ijskoud worden, haar keel knijpt dicht. Meteen weet ze dat dit Ben Bosman is, die net ontdekt heeft dat zijn paard gestolen is. Het paard hoort het ook want ze heft haar hoofd. Onrustig stapt ze opzij. De stemmen komen dichterbij. Snel knoopt Katja het halstertouw los. Ze trekt aan het touw en fluistert: 'Kom, paardje!'
Gehaast loopt ze over het smalle pad. Opzij, in de verte, loopt er iemand met haar mee! Nerveus kijkt ze om zich heen. Welke kant moet ze op? Dan ziet ze aan de andere kant ook iemand lopen! Het paard gooit haar hoofd omhoog en hinnikt!
'Grijp haar!' schreeuwt een man.
Van twee kanten komen ze aanrennen. Katja laat het paard los en duikt tussen de bomen door. Ze springt over dwarsliggende stammetjes, bukt voor lage takken en springt over kuilen. Bang kijkt ze achterom. Dan knalt ze met haar hoofd tegen een boom aan. Een felle pijn scheurt door haar heen en duizelig valt ze op de grond.
Twee armen tillen haar op en klemmen haar vast.
'Ik heb haar!' schreeuwt een stem vlak langs haar oor.
'En ik heb het paard!' wordt er teruggeroepen.
In haar zak gaat haar mobieltje af...

10

Haar telefoontje staat op trilfunctie. Zou Casper begrijpen dat er iets aan de hand is als ze niet opneemt? Een stuk verderop ziet ze Ben Bosman tussen de bomen lopen met het paard. Ze heeft geen idee wie haar vasthoudt, maar hij duwt haar in de richting van de seksboerderij.
Even later staan ze op het wandelpad en kijkt ze in het paarse gezicht van de pensionhouder. 'Wie ben jij? En waarom probeer jij in hemelsnaam mijn paard te stelen?' Hij windt zich zo op dat het lijkt alsof zijn kop uit elkaar knalt.
Katja kijkt naar de grond.
'Nou?!' schreeuwt Ben Bosman weer. 'Wat zijn dit voor streken?'
Katja hapt naar adem. De man snoert haar bijna in met zijn armen. 'Laat me los, vent!'
Ze kronkelt en trapt naar achteren. Zijn warme adem blaast in haar nek. Verbeeldt ze het zich, of knabbelt hij echt aan haar oorlelletje? Ze schopt en slaat waar ze hem maar raken kan.
'Ja, ga door, ik kick op wilde wijven,' fluistert de gorilla hijgend in haar nek.
Op slag hangt ze bevroren in zijn armen. Meer effect had hij niet kunnen krijgen.
Ze gaan terug. Ben Bosman voorop met het paard en Katja in de armen van de gorilla. Zodra zijn greep verslapt, probeert ze

zich weer los te rukken. Onmiddellijk knijpen zijn armen weer als ijzeren klemmen om haar heen, zodat alle lucht uit haar wordt geperst. Eindelijk komen ze bij de boerderij aan. In de deuropening staan dezelfde vrouwen die Katja in het bos zag wandelen. Ze staan tegen de deurpost geleund en roken een sigaret.
'Naar binnen, nieuwsgierige kippen!' roept de gorilla.
'Da's een lekkertje, Arie. Daar kun je rijk mee worden.'
'Hebben jullie me niet gehoord?'
Snel maken de vrouwen dat ze wegkomen. Ben Bosman zet het paard terug in de trailer, gooit de klep omhoog en veegt zijn bezwete gezicht af met een grote witte zakdoek.
'Wat doe je met haar?' vraagt de gorilla. 'Ik neem aan dat je geen politie wilt.'
Bosman bekijkt Katja van top tot teen. 'Hoe heet je?'
'Roodkapje,' zegt Katja.
Met een ruk trekt de gorilla haar hoofd aan haar haren naar achteren. 'Geen praatjes, juffer! Een paard stelen en een grote bek toe?'
Katja perst haar lippen op elkaar. Weer gaat haar mobieltje.
De gorilla hoort het gezoem. 'Er hangt iemand aan de lijn, schat.'
Ben Bosman kijkt haar strak aan. 'Neem je niet op?'
Katja's keel knijpt dicht. Wat moet ze doen? Het is Puck of Casper. Als ze opneemt verraadt ze hen. Dan weten deze mannen dat er hulp onderweg is. Ineens voelt ze de hand van de gorilla in haar broekzak! Ze draait haar hoofd opzij en bijt hem keihard in zijn arm. Met een schreeuw trekt hij zijn hand terug. Het mobieltje klettert op de grond. Bosman pakt het op, klapt het open en houdt het voor Katja's oor. Zelf luistert hij mee.
'Was je daar, liefje?' zegt een stem. 'Ik zou je bellen, weet je

nog? Van Arkel. Je bent me toch niet vergeten? De baas van je vader, de man van het paard.'
Ben Bosmans gezicht wordt rood. De adertjes langs zijn voorhoofd zwellen op. Hij trekt het mobieltje terug en schreeuwt: 'Van Arkel? Wat heeft dit te betekenen! Werkt ze voor jou?!'
Aan de andere kant blijft het stil.
'Je spreekt met Bosman. Waarom bel jij dit grietje?' Woedend kijkt hij Katja aan.
Aan de andere kant blijft het stil. 'Geef antwoord, man!'
Bosman knikt. 'Ze heeft je geholpen met je paard. En nu heb je haar op mij afgestuurd?'
Vol spanning volgt Katja het gesprek.
'Jij weet van niks? Maak dat je grootje wijs! Ze heeft net jouw paard uit mijn trailer gejat. Ik dacht dat wij een afspraak hadden, dat wij een deal hadden gesloten. Dus wat heeft dit te betekenen?'
Bosmans hoofd begint op een rodekool te lijken. 'Nou moet je eens goed luisteren, boekenwurm! Ik geloof je niet. Jij komt dit kind ophalen en je zorgt ervoor dat ze haar mond houdt en dat ik haar nooit meer zie.' Dan schrikt hij. 'Wacht even, ik ben niet thuis. Ik zit in Zuidwolde. Ogenblik.' Hij houdt zijn hand over het microfoontje en vraagt aan de gorilla: 'Van Arkel komt haar ophalen, maar ik zou dat paard afleveren. Kan ze zolang hier blijven?'
'Geen denken aan. Ik heb genoeg sores aan mijn kop.'
Ben Bosman vloekt binnensmonds. Hij loopt een paar passen weg, spuugt nijdig een bonk kauwgom uit en draait zich weer om. 'Oké, ik ga naar huis. Hoe laat denk je bij me te zijn?' Hij knikt, zet het mobieltje uit en stopt het in zijn zak.
Katja stampt op de grond. 'Geef terug!'
Bosman doet net of hij haar niet hoort en loopt naar zijn auto.

'En ik ga niet met Van Arkel mee!' schreeuwt Katja.
Bosman reageert niet. De gorilla duwt haar naar de jeep. 'Zal ik haar bij het paard in de trailer pleuren?'
Even lijkt het of Bosman twijfelt maar dan schudt hij zijn hoofd. 'Ze gaat naast me.'
De gorilla duwt Katja in de jeep en gooit het portier dicht. Dan drukt hij zijn gezicht tegen het raampje en likt langzaam met zijn tong over de ruit. Katja rilt. Wat een gore vent!
Katja is blij dat ze niet naar Polen gaat, maar er is geen haar op haar hoofd die eraan denkt om met Van Arkel mee te gaan. Op het autoklokje is het kwart over drie. Zou Puck nog in Dwingeloo zijn? Kon ze haar maar bellen, of de jongens. Maar haar telefoon staat uit en zit bij Bosman in zijn jas. Casper en Roy zijn op weg naar de seksboerderij. Daar heeft ze hen zelf naartoe gestuurd. Nu lopen ze elkaar mis. Casper vindt het vast vreemd dat haar telefoon uit staat. Maar aan de andere kant heeft hij zelf gezegd dat ze zuinig moet zijn. Met een schuin oog kijkt ze naar Ben Bosman. Wat een onverzorgde man. Plukken grijs haar steken aan alle kanten onder zijn pet uit. Hij haalt een bril uit zijn binnenzak en zet die op. Katja krijgt een rare draai in haar buik.
Ze rijden de rotonde op. 'Je moet die bochten niet zo idioot hard nemen. Weet je dat zo'n paard veel moeite moet doen om overeind te blijven?'
Bosman kijkt haar door zijn donkere brillenglazen aan. 'Heb jij zo veel verstand van paarden?'
Ineens weet Katja waarom ze zo nerveus wordt. Die geruite pet, die grijze krullen en die donkere bril. Deze man lijkt op de vermomde Van Arkel! Zo zag Van Arkel er die avond uit toen ze hem hielp zijn paard te stelen. Hij wilde op Ben Bosman lijken!
Als iemand hem die avond zou zien, zouden ze een beschrij-

ving van Bosman geven. Van Arkel luist de pensionhouder erin. En andersom. Want Van Arkel weet niet dat zijn paard drachtig is.
'Ik snap niet hoe jij wist dat ik daar was,' zegt Ben Bosman. 'Waar ken je Van Arkel van? Werk je voor hem?'
Katja haalt haar schouders op.
'Verzorg je zijn paard?'
Bingo! Hij geeft haar zomaar het juiste antwoord. 'Ja!' zegt ze iets te opgewekt, 'ik verzorg zijn paard. En ik vind het vreselijk dat hij haar heeft verkocht. Ik hou zoveel van dat beest. Hij had het me niet eens verteld.' Ze probeert een traan tevoorschijn te persen.
Ben Bosman knikt. 'Nu komen we een stap verder.' Hij haalt een pakje kauwgom uit zijn zak en houdt het Katja voor. Die schudt van nee. Handig drukt hij met één hand een pitje uit het stripje en stopt het in zijn mond. 'Dus jij verzorgt dit paard,' gaat hij kauwend verder. 'Dan weet je ook dat ze niets meer waard is. Ze is kreupel. Komt nooit meer goed. Van Arkel koopt een ander, misschien dat je die ook mag verzorgen.'
'Maar ik hou van dit paard.' Oh, wat klinkt ze verdrietig! 'Mag ik mijn telefoon terug?'
Bosman drukt op een knopje. Het raampje in zijn portier zakt. 'Dat moesten we maar niet doen,' zegt hij en hij wil het mobieltje naar buiten mikken.
'Niet doen!' Smekend kijkt ze hem aan. 'Alstublieft!'
'Hou je je dan koest?'
Katja laat haar hoofd hangen en knikt.
Hij stopt het mobieltje weer in zijn binnenzak. Ze rijden de A28 op. Na een poos bereiken ze afslag 29; richting Dwingeloo. Nog even en ze zijn terug. Bosman blaast een grote bel van zijn kauwgom, laat hem knallen en zuigt het slappe velletje

naar binnen. Ze rijden het dorp in. Ze moeten dwars door Dwingeloo, want de boerderij ligt aan de noordkant. De wegen zijn hier smal en de kanten diep. De trailer hobbelt en schommelt en slingert als ze moeten wijken voor een passerende auto. Net als ze op een stuk slecht asfalt rijden, komt er van de andere kant nog een trailer aan. Bosman vloekt. Hij moet nu heel ver de kant in. Zijn trailer slingert, ze kunnen het paard horen trappelen. Langzaam passeren de auto's elkaar. Ineens zet Katja grote ogen op en het zweet breekt haar uit. In de andere jeep zitten Casper, Roy en Puck!
Roy ziet haar niet, die heeft het te druk met sturen en spiegelen, maar Puck staart met grote schrikogen naar Bosman. Dan kijkt Katja recht in de ogen van Casper. Casper veert op, Katja wordt knalrood, snel wendt ze haar blik af. Casper heeft haar gezien! Zou Bosman het gemerkt hebben? Nee, hij kijkt nog even grimmig. Met een strak gezicht kijkt Katja voor zich uit. Niets mag hen verraden. Uiterlijk zit ze onbewogen naast Bosman maar van binnen maakt haar hart salto's. Stiekem loert ze door de buitenspiegel. Roy zal zo wel keren.
Maar de trailer rijdt gewoon door, hij wordt kleiner en kleiner en is nu al een stipje in de verte. Wat is dit? Ze hebben haar toch gezien? Casper keek haar recht in haar ogen! Ze ziet nog net dat de trailer in de verte een bocht om gaat. Nu is hij uit het zicht verdwenen. Katja's mond wordt kurkdroog. Dan hebben ze haar niet gezien! Hoe bestaat het.
Lamgeslagen staart ze voor zich uit. Haar ogen vullen zich met tranen. Met een waterige blik ziet ze de pensioenboerderij liggen.
Ben Bosmans mobieltje gaat af. Met een schuine blik volgt Katja het gesprek. Twee tellen later wordt zijn gezicht weer paars. 'Jij vraagt je af wat jouw paard in mijn trailer doet? Daar kan ik kort over zijn. Ik was op weg naar de hoefsmid.

Er zat nogal wat achterstallig onderhoud aan dat beest. En ik zit hier met dat grietje van je, dus we moeten maar niet te veel zeggen!' Kwaad drukt hij zijn mobiel uit.
De auto draait het erf op. De jeep staat stil. Katja doet haar gordel af. Meteen grijpt Bosman haar bij de arm, sleurt haar over de pook en trekt haar over zijn stoel naar buiten.
'Je knijpt me, vent!'
Rinkelend haalt hij een sleutelbos uit zijn zak en maakt de achterdeur open. Hij duwt haar voor zich uit. Ze gaan door een lange, donkere gang. Aan het einde is de deur naar de woonkamer. Daar gaan ze naar binnen. In de kamer staat een kast. Bosman doet de kastdeur open en duwt Katja naar binnen. Het is een kleine, volle ruimte. Rechtop tegen de muur staat een sjoelbak en een strijkplank. Voor haar voeten staat een stofzuiger. 'Sorry, maar dit is de enige plek waar ik je kan opsluiten. Ik breng eerst dat paard terug naar het land.'
Hij gooit de deur dicht en draait de sleutel om.

11

Het ruikt muf en het is er stikdonker. Er schijnt zelfs geen reepje licht onder de deur door. Daar staat ze nu, opgesloten en overgeleverd aan de grillen van een paardenhandelaar. Ze zou wel willen janken en ze heeft ook nog een kloppende hoofdpijn gekregen. Zal ze om een aspirientje vragen? Hete tranen prikken achter haar ogen. Ze wil niet huilen, maar ze is zo moe. Toch moet ze blijven opletten, iedere ontsnappingskans die zich voordoet, aangrijpen. Hij komt haar zo halen. Dit kan hooguit tien minuten duren, vast niet langer. Voor deze man is ze trouwens lang niet zo bang als voor Van Arkel. Voor die hier arriveert, moet ze vertrokken zijn. Hoe, dat is haar nog een raadsel. Hoe is het mogelijk dat ze elkaar passeerden op dat smalle weggetje en dat die sukkels niet doorhadden dat zij het was? Misschien kwam het door de lage zon die op het raam stond? Maar Puck herkende Bosman. Katja zag haar schrikken. Ze zullen onderhand wel bij die seksboerderij zijn. Katja wrijft in haar ogen. Kanonnen, wat is het hier donker. Zou er niet ergens een lichtknopje zitten? Ze tast met haar hand over de wanden. Maar ze voelt niets. Ouderwetse rotkast! Verdrietig gaat ze op de stofzuiger zitten.
In de verte slaan deuren dicht. Iemand komt de kamer in. Het slot knarst en de kast gaat open. Katja knijpt met haar ogen tegen het felle licht.

‘Op de bank gaan zitten en je gedeisd houden,’ bromt Bosman. Op het salontafeltje heeft hij een glas cola voor haar neergezet. Zelf drinkt hij bier uit een flesje.
‘Ik heb het paard naar het achterste land gebracht,’ zegt hij, ‘daarom duurde het wat langer.’
‘Heeft u een aspirientje voor me?’ Ze drinkt kleine slokjes van haar cola.
Bosman staat op en rommelt wat in een laatje. Zonder iets te zeggen legt hij een aspirientje voor haar neer.
‘Dank u.’ Katja neemt het pilletje in. Terwijl Bosman in een tijdschrift bladert, probeert ze naar buiten te kijken.
Hij heeft het door, want hij zegt: ‘Je kunt je verzorgpaard niet zien. Ze staat aan de andere kant van de boerderij. Als Van Arkel komt, kan hij haar in de verte zien lopen en daarna meteen met jou vertrekken. Jullie hebben mijn programma genoeg in de war geschopt.’ Wrevelig kijkt hij haar aan. ‘Hoe eerder jij foetsie bent, hoe liever het me is.’ Hij schudt zijn hoofd. ‘Onbegrijpelijk, zo’n slimme meid, dat jij je voor die vent in de nesten werkt.’ Hij pakt zijn flesje bier op en giet het vocht in zijn keel.
Katja hoort het klokken en ziet zijn adamsappel op en neer gaan.
Met een klap zet hij het flesje weer op tafel. ‘Zo’n jong ding, zo’n groene graskaas, die vent is nog een grotere schoft dan ik dacht.’ Hij pakt de afstandsbediening en zet de tv aan.
Katja kijkt naar de beelden, maar het dringt niet tot haar door. Telkens dwalen haar ogen naar het raam. Ze is doodsbang dat Van Arkel zo het erf oprijdt. Op de antieke staartklok is het bijna halfvijf. Dan houdt ze het niet langer uit. ‘Ik moet plassen.’
Bosman zit onderuit gezakt en blaast bellen van zijn kauwgom.

'Ik moet plassen!'
'Hou het maar op.'
'Ik moet erg nodig!'
'Dat zal wel.' Hij zet de tv harder en drinkt zijn flesje leeg.
Katja staat op en gaat voor het raam staan. Casper en Roy hebben haar niet herkend. Anders waren ze hier al geweest. Van Arkel kan er elk moment aankomen. 'Mag ik alstublieft naar de wc? Ik heb er pijn in mijn buik van.' Smekend kijkt ze Bosman aan.
Hij twijfelt, uiteindelijk staat hij op en zegt: 'Ik loop met je mee.'
Het lichtgroene zeil in de gang zit vol met grijze slijtplekken. Halverwege slaan ze af en komen ze in een korter gangetje. Aan het eind naast de voordeur is de wc. Als Katja naar binnen gaat, grijpt Bosman haar in haar nek en knijpt hard met zijn worstenvingers. 'De deur op een kier laten staan.'
Katja draait zich met een ruk om en kijkt hem met grote ogen aan. 'Dan kan ik niet plassen. Niet als u kijkt.'
'Ik kijk niet.'
'U hoort me toch plassen?'
'Nou en? Ik kletter er zelf ook op los, geneer je maar niet.'
'Ik doe het bijna in mijn broek! Waarom doet u nou zo? Ik heb toch niks gedaan?'
'Een paard jatten en nog zeggen dat je niks doet? Nou vooruit, doe de deur dan maar dicht, maar blijf tegen me praten.'
Blij springt Katja de wc in. In één oogopslag ziet ze het ruime raampje. Daar kan ze met een beetje wringen wel doorheen! Ze trekt de deur dicht en doet hem op slot.
Meteen bonkt Bosman op de deur. 'Haal onmiddellijk van het slot af!'
'Ik ben zo klaar! Wat moet ik allemaal tegen u zeggen?'
'Hè?'

'Mag ik ook zingen?'
'Wat kan mij dat schelen? Al zeg je gedichten op, zolang ik je maar hoor.'
Katja begint te zingen. Geen tekst. Ze kan haar gedachten nu echt niet bij een tekst houden. 'La la la … Ik zing hard hoor, anders kunt u me horen plassen!'
Ze springt op de wc-pot en bekijkt het raam. Het is een los voorzetraam, ze kan het zo weghalen. Ze tilt het op, houdt het schuin en lift het uit de zijsteunen. Zachtjes zet ze het op de grond tegen de witgekalkte muur.
'La, la, la, la…'
'Je flikt me niks, hoor je?'
'La, la, la la la, la la laala!'
Ze staat weer op de pot, steekt haar armen door het gat en maakt een sprongetje. Ze gaat zo ver mogelijk met haar buik uit het raam hangen. Ze wringt en trekt, ze moet zich voorover laten vallen, anders lukt het niet. 'La, la, la…' klinkt het dof.
'Schiet eens op! Wat spook je allemaal uit?' Hij rammelt aan de klink.
'La, la,' kreunt ze. Het gaat maar net. Met haar handen steunt ze op de muur. Zo meteen valt ze nog met haar hoofd op de tegels. Ineens komt er vanaf de zijkant iemand aan rennen. Het is Puck!
'Kat! Wat doe je?'
'La, la!' gilt Katja en ze kijkt er zo angstig bij dat Puck haar meteen begrijpt.
'Waar is-ie?' fluistert Puck.
Katja kreunt. Ze steekt nu zo ver uit het gat dat Puck haar kan opvangen. Haar bovenbenen schuren over het houten kozijn. Ze slaat haar armen om Pucks nek. Puck trekt de rest van haar vriendin uit het raam. Samen rollen ze over de

grond. Meteen vliegt de voordeur open en Bosman stormt naar buiten.
'Als ik het niet dacht!' Verbaasd staart hij Puck aan. 'Wie ben jij?'
'Ik...ik...ik...,' stottert Puck en ze krabbelt overeind. 'Ik kom solliciteren. Ik wilde vragen of u een paardenverzorgster nodig heeft.'
'Nog een paardenverzorgster? Jullie denken zeker dat ik achterlijk ben!' Hij grijpt hen ieder bij een arm en begint hen mee te sleuren. 'Naar binnen!'
Puck rukt en trekt en probeert zich los te worstelen. Bosman heeft de grootste moeite om ze in bedwang te houden.
Beetje bij beetje bereikt Puck het einde van de zijmuur. Nu kan ze over het land kijken.
'Kijk!' gilt ze. 'Ze stelen uw paard!'
Met een ruk draait Bosman zijn hoofd om.
Katja ziet in de verte Casper en Roy net de klep van de trailer dichtklappen. In de afrastering zit een groot gat.
'Hé, wat moet dat!' schreeuwt Bosman. Abrupt laat hij de meisjes los en rent het land in. De jongens springen in de auto. Als ze wegrijden is duidelijk het logo van hun manege op de trailer te zien. Een springend paard en daaronder in sierlijke letters DE DENNENHOF.
'Rennen!' roept Puck, maar ze gaat precies de andere kant op. Katja vliegt achter haar vriendin aan. Puck klimt over het damhek en rent het weiland in waar de bejaarde paarden rustig grazen.
'Waar gaan we heen?' roept Katja.
Hijgend draait Puck zich om. 'Naar onze fietsen!'
Ze springen over het schrikdraad en banen zich een weg door de bomensingel.
'Dat... hebben we... zo... afgesproken,' zegt Puck hijgend.

‘We splitsen!’
Ze rennen over het weiland naar de notweg toe. Buiten adem komen ze bij het landweggetje aan. Puck trekt het prikkeldraad omhoog zodat Katja erdoorheen kan. Daarna houdt Katja het voor Puck omhoog. Eerst stormen ze de verkeerde kant uit. Net als Katja denkt dat de fietsen pleite zijn, roept Puck: ‘Daar!’ Ze trekken ze uit het lange gras en racen weg.

‘Wat heb je precies afgesproken?’ vraagt Katja onder het trappen door.
‘Wij gaan met de trein terug. De jongens kunnen ons niet ophalen, ze moeten een voorsprong hebben, anders haalt die vent hen in.’
Katja kijkt om. In de verte ziet ze de jeep van Ben Bosman het erf afstuiven. Hij gaat de trailer achterna. Ineens knijpt ze in haar handrem. ‘Mijn mobiel zit nog in zijn jas. We moeten terug!’
Ongelovig kijkt Puck haar vriendin aan.
‘Die jas hangt aan de kapstok in de gang. Hij is er toch niet.’
‘Dat meen je niet!’ zegt Puck.
‘Al mijn telefoonnummers en adressen zitten erin. Ik wil niet dat hij die te pakken krijgt. Bovendien was het een hartstikke duur ding!’ Katja keert haar fiets om en rijdt terug.
‘Jij bent echt knettergek!’ Mopperend komt Puck achter haar aan. Ze crossen het pad op. De voordeur staat nog open. ‘Hij is echt zo vertrokken!’ zegt Katja.
‘Pak je telefoon, dan smeren we ’m,’ zegt Puck buiten adem.
De jas hangt nog aan de kapstok. Katja voelt in de binnenzak. Bingo! Wat is ze blij. Ze heeft dit telefoontje nog niet zo lang. Haar ouders zouden razend zijn als ze hoorden dat ze het kwijt was. Puck staat voor de open wc-deur. ‘Ik moet plassen, hoor. Het doet gewoon zeer als ik op de fiets zit!’

Katja knikt, ze gaat zelf ook.
Puck laat de deur op een kier staan. Terwijl ze plast zegt ze: 'Tjee, Kat, dat je door dat raampje kon! Mijn kop past er net door!'
Katja maakt alvast de knopen van haar broek los. Ze staat te hippen in de gang. Als Van Arkel er nu maar niet aankomt. Oh, God, laat dat toch alstublieft niet gebeuren!
'Wat denk je dat die Bosman gaat doen?' vraagt Puck.
'Schiet nou op!' Katja houdt het haast niet meer. 'Hij zal proberen om de jongens klem te rijden. Of hij achtervolgt hen tot hij weet waar ze het paard heen brengen.'
Puck komt hijsend aan haar broek naar buiten.
Nu springt Katja de wc binnen. Als ze klaar is, staat Puck al buiten bij de fietsen. 'We brengen eerst deze terug en dan lopen we naar de bus,' zegt ze. 'Zo heb ik het met de jongens afgesproken.'

12

De fietsenmaker is niet thuis, ze zetten de rijwielen in het rek voor de winkel en rennen naar de bushalte. Te laat! De bus is net weg, de volgende komt pas over een uur.
'Wat nu?' vraagt Puck. 'Liften?'
Katja haalt haar schouders op. 'Zal wel moeten.'
Ze lopen het dorp uit. In de verte komt een auto aanrijden. Puck steekt haar hand op. De wagen stopt en een mevrouw met een blauwe baret draait het zijraampje open.
'Mag ik meerijden mevrouw?' vraagt Puck beleefd.
'Meerijden? Gut, kind, stond je te liften? Nee, ik ga naar de supermarkt, daar zal jij wel niet heen willen. Jullie kunnen beter naar de provinciale weg gaan. Die auto's moeten tenminste ergens heen. Of liever, pak de bus, dat is veiliger. Succes, dames.' Ze draait het raampje dicht en rijdt weg.
'Je moet wel het liftgebaar maken,' zegt Katja slap van het lachen, 'jij hield die auto gewoon aan.'
'Doe jij het de volgende keer!' Met grote passen stapt Puck voor Katja uit.
Na een kwartier komen ze bij de provinciale weg. De auto's sjezen aan hen voorbij. Katja steekt haar duim op. Drie rijden er door, maar de vierde auto stopt verderop langs de berm.
'Ik ga naar Hoogeveen,' zegt het meisje, dat misschien net twintig is.

Katja en Puck gaan achterin zitten want de passagiersstoel ligt vol met spullen. Tussen de handtas, boeken en make-up-artikelen ligt een banaan. Hongerig kijkt Puck naar het stuk fruit. 'Mag ik die banaan?'
Het meisje kijkt haar in het achteruitkijkspiegeltje aan. 'Neem maar,' zegt ze.
Puck schrokt de banaan naar binnen. Het meisje rommelt wat in haar tas en haalt er een plak ontbijtkoek verpakt in cellofaan uit. Ze houdt de koek omhoog. 'Wil jij deze?' vraagt ze aan Katja.
Katja knikt blij. Het meisje draait het raampje open, steekt een sigaret op en blaast de rook naar buiten. Vlak voor Hoogeveen draait ze plotseling de afrit bij een tankstation op. 'Stappen jullie hier maar uit. Je kunt nu gemakkelijk een lift verder krijgen. Doei!'
Twee tellen later scheurt ze weg.
'Daar zijn we lekker mee,' zegt Puck. Ze kijkt om zich heen. 'We hadden moeten vragen of ze ons naar het station wilde brengen. Ze dumpt ons zomaar!'
'Ze was wel aardig, je mocht haar banaan. Nu ga ik eerst de jongens bellen, dan weten we waar ze zitten,' zegt Katja.

De telefoon gaat over, maar hij wordt niet opgenomen. Misschien zitten ze in een wilde achtervolging. Katja krijgt er kramp in haar buik van. Als hen maar niets overkomt. Want ze doen dit allemaal voor haar, omdat zij zo stom was om dat paard te helpen stelen.
'Moet je een ijsje?' vraagt Puck. 'Ik trakteer.' Ze wurmt een propje papier uit haar broekzak en strijkt het glad. Het is een vijfeurobiljet.
Katja knikt. 'Ga jij halen, dan probeer ik een lift te krijgen.'
Puck rent naar het Shell-winkeltje. Katja kijkt om zich heen.

Daar staat een auto met een Frans kenteken. Daar een Duitser, nog een Duitser en daar weer een Nederlander. Ze loopt naar de auto, er zit niemand in. Ze kan beter naar de mensen gaan die staan te tanken. Dikke druppels vallen uit de lucht. De hele middag was de lucht al betrokken, maar nu breekt de bui pas goed los. Daar komt Puck aanrennen.
'Cornetto's, lekker hè? En ik heb een lift! We mogen met een man mee. Een keurige pakman met een dure zonnebril op. Hij heeft net getankt en staat in de rij om te betalen. Hij bood het zelf aan, we mogen alvast in zijn auto gaan zitten.'
Katja zucht opgelucht. Eindelijk doet Puck iets nuttigs. 'Waar staat zijn auto?'
'Daar,' wijst Puck, 'die zilveren BMW.'
De deuren zijn los, ze gaan achterin zitten. De regen komt met bakken uit de lucht vallen. Het klettert gezellig op het dak van de auto.
'Wat ben ik blij dat we droog zitten,' zegt Puck.
Tevreden likt Katja aan haar ijsje.

'Daar heb je 'm!' Puck wijst naar een man die, wat gebogen, met een krant boven zijn hoofd komt aanrennen. Hij springt achter het stuur, start meteen de motor en rijdt weg.
'Fijn dat we mee mogen,' zegt Katja.
Even later sjezen ze de snelweg op. Langzaam draait hij zich om, schuift zijn zonnebril omhoog en grijnst vals.
Katja's adem stokt. Ze kijkt recht in de ogen van Van Arkel.

Klik-klik-klik. Aan alle kanten vallen de deuren in het slot.
Puck houdt op met likken, verbaasd kijkt ze van de een naar de ander. 'Wat?' vraagt ze aan Katja.
'Dit is Van Arkel,' zegt Katja met een ijzige stem.
Pucks ogen worden zo groot als schoteltjes. Dan smijt ze haar

ijsje door de auto en rukt met beide handen aan het handvat van haar deur.
'Hé!' schreeuwt Van Arkel. 'Doe normaal, dikke!'
'Laat me leven! Laat me leven!' gilt Puck.
Katja trekt Puck naar zich toe en rammelt haar door elkaar. 'Rustig, Puckie, rustig!'
'Ik wil eruit! Ik wil eruit!'
Van Arkel draait zich half om. 'Laat haar d'r bek houden!' De auto slingert over de weg. 'En raap dat smerige ijs op! Je ruïneert mijn bekleding!'
Katja raapt snel de Cornetto van de vloer. Meteen zoemt aan haar kant het raampje naar beneden, net ver genoeg om de kleverige massa naar buiten te werken.
'We gaan eraan! We gaan eraan!' jammert Puck. Met lange gieren begint ze te huilen.

Ze zoeven over de snelweg. Puck is wat gekalmeerd en snikt alleen nog na. In Katja's hoofd tollen de beelden door elkaar. Ze probeert een plan te bedenken, maar ze komt niet verder dan waar ze nu is. Van Arkel rijdt zo hard dat ze bang is dat ze zo direct de trailer zien rijden met Ben Bosman erachteraan.
Tik, tik, tik. Hij zet zijn richtingaanwijzer uit en ze draaien van de snelweg af. Katja kijkt wild om zich heen. Welke afslag nemen ze? Ze heeft niet opgelet!
'Waar gaan we heen?' vraagt Puck met een dun stemmetje.
Van Arkel geeft geen antwoord. Aan de zijkant licht een bord op. U RIJDT TE SNEL.
Dan moet hij flink remmen want het is een haarspeldbocht.
'Wat gaat u doen?' vraagt Puck angstig.
'Je wilde er toch uit?'
Met bange ogen kijkt Puck haar vriendin aan. Katja schudt

haar hoofd en knijpt bemoedigend in Pucks hand. 'Hij probeert ons bang te maken,' fluistert ze.
'Hier wordt niet gefluisterd!'
Ze komen op een splitsing en slaan rechtsaf. Dit is een lange weg met bomen aan weerszijden; hij loopt parallel aan de snelweg. Na een paar kilometer buigt de weg af en langzaam verdwijnen de lichtjes van de snelweg. Een donker, zwart gat ligt voor hen.
Ineens trapt Van Arkel op de rem. Katja en Puck duiken voorover.
'Idioot!' scheldt Katja.
Van Arkel springt uit de wagen, trekt het portier aan Pucks kant open en sleurt haar uit de auto. Met een smak valt Puck op het natte asfalt. Binnen een paar seconden zit Van Arkel weer achter het stuur en scheurt weg. Het gebeurde zo snel dat Katja verlamd op de achterbank heeft toegekeken. Maar dan draait ze zich met een ruk om en kijkt door het achterraam.
Puck zit midden op de weg. Binnen enkele seconden is ze een stipje dat door het duister wordt opgeslokt. Lam van schrik staart Katja voor zich uit. Waarom gooit hij Puck eruit? Wat gaat hij doen? Wat wil hij van haar? Hij gaat haar toch niet vermoorden? Alleen om een paard? Ze moet wat doen, maar ze durft niet. Ineens ziet ze haar vader weer voor zich, ook zo bang voor deze man. Ze springt op en timmert met haar vuisten op zijn rug. 'Laat me eruit!' Ze stompt op zijn hoofd, trekt aan zijn oren en schudt hem heen en weer.
Van Arkel vloekt en maait met één arm achteruit. Maar Katja laat niet los, nu heeft ze zijn haar te pakken Ze schudt zijn hoofd wild heen en weer. De auto slingert. Dan grijpt hij met één hand haar pols vast en knijpt zo hard dat ze het uitschreeuwt van de pijn.
'Moeten we verongelukken, idioot?!' brult hij.

'Haal Puck op!'
Van Arkel haalt uit en geeft Katja een dreun in haar gezicht. Duizelig valt ze achterover.
Bevend over haar hele lijf staart ze voor zich uit. Met trillende hand strijkt ze over haar gloeiende wang. Ze proeft bloed. Seconden gaan voorbij, maar het lijken minuten. Ineens trapt hij weer hard op de rem. Zodra ze stilstaan, draait hij zich om en buigt zich naar haar toe. Zijn ene ooglid trilt. 'Nou moet jij eens goed naar me luisteren.' Hij prikt met zijn vinger op haar voorhoofd. 'Jij houdt je koest en doet precies wat ik zeg! Jouw vriendin halen we straks op, ik wil eerst met jou praten. Wat deed jij in Drenthe? Waar ken jij Bosman van, en waar ging die gluiperd met mijn paard naartoe?'
Katja voelt aan haar bevende mond. Er zit bloed op haar vingers. 'Kijk eens wat je gedaan hebt?' zegt ze met een piepstem.
Even slaat Van Arkel zijn ogen neer. 'Ja, dat ging een beetje te hard,' zegt hij zacht.
'Ik weet iets over uw paard. Iets heel bijzonders,' fluistert ze. 'Als u Puck nu ophaalt, vertel ik het.'
Hij kijkt haar ijzig aan. 'Eerst praten...' zegt hij langzaam.
Katja schudt haar hoofd. 'Eerst Puck.'
'Ga... niet... te... ver,' zegt hij met een hese stem. Hij knijpt in de leuning van de stoel. Zijn hand trilt en zijn knokkels slaan wit uit. 'Jij vertelt wat je weet en als het de moeite waard is, halen we je vriendin op.'
'Ik geloof u niet.'
'Je hebt geen keus.'
Katja perst haar lippen op elkaar en kijkt stuurs door het raampje naar buiten.
Ze hoort Van Arkel vloeken. Hij draait terug naar het stuur en start de auto. Bij een inham keren ze en met gierende banden rijden ze terug.

Ze voelt iets van een kleine overwinning.
Tussen de voorstoelen door tuurt ze over de weg. Zou Puck er nog zijn? Misschien is ze gaan lopen. Of liften langs de snelweg.
De teller klimt naar de honderdveertig. Maar Katja is niet bang. Hoe eerder ze weer bij Puck is hoe liever.
Op deze landweg kun je kilometers ver kijken, maar ze ziet niemand, zelfs niet in de verte. Binnen een paar minuten zijn ze weer op de plek waar Van Arkel Puck eruit heeft gesmeten. Hij gaat langzaam rijden. Allebei kijken ze rond. Het lijkt verlaten, maar dan ontdekt Katja haar vriendin. Puck zit in de berm in het hoge gras met opgetrokken knieën. Ze heeft haar armen om haar benen geslagen, haar hoofd hangt verdrietig naar beneden. Als ze opkijkt ziet Katja een rood betraand gezicht. Zodra de wagen stilstaat, springt Katja eruit.
Puck krabbelt overeind. 'Heeft hij je aangerand?' vraagt ze huilend.
Katja omhelst haar vriendin. Ze lacht en huilt tegelijk. 'Nee, joh.'
'Oh, ik was zo bang voor je,' zegt Puck snikkend.
'En ik was bang voor jou. Ik was bang dat je was weggegaan.'
'Waar zou ik heen moeten?' lacht Puck door haar tranen heen. 'Ik heb net met Casper gebeld, maar ze kunnen niet stoppen want Bosman zit hen op de hielen.'
Van Arkel springt naar voren en duwt Katja opzij. 'Bosman? Achter wie zit Bosman aan?!' Hij schudt Puck wild door elkaar.
'Laat haar los, ik vertel het!' roept Katja. Ze kijkt Puck met een veelbetekenende blik aan.
Puck knikt mat.
Katja trekt een onschuldig gezicht en zegt: 'Wij proberen uw paard terug te halen. Wij weten dat Ben Bosman het gestolen

heeft. Hij was onderweg naar Polen om hem daar te verkopen. En we hebben nog iets ontdekt!' Ze houdt even stil om de spanning op te voeren.
Dreigend stapt Van Arkel op haar af.
'We zijn erachter gekomen dat uw paard drachtig is,' zegt ze snel.
'Drachtig?' Van Arkels mond valt open, langzaam trekt hij wit weg.
'Omdat uw paard zo'n goede bloedlijn heeft, brengt het veulentje een smak geld op, zei Bosman.'
Van Arkel staart Katja ongelovig aan. Wankelend doet hij een paar passen achteruit.
'Waar… is… mijn paard nu?' stamelt hij.
'Mijn vriend brengt hem op dit ogenblik terug naar de manege. Maar Bosman zit hen op de hielen.'
'Hij probeert hen klem te rijden,' zegt Puck.
'En dat gaat hem lukken ook,' zegt Van Arkel grimmig. 'Die trailer kan niet hard, dan stuitert hij over de weg. Nou, waar wachten jullie op? In de auto en snel!' Dat laatste schreeuwt hij.
Hij trapt het gaspedaal diep in. Koortsachtig tuurt hij over de donkere weg. Dan draait hij zich om naar Katja en roept: 'Bel je vriend en vraag waar hij zit!'
Ze gaan nog harder rijden. Angstig houdt Puck de leuning van de voorstoel vast.
'Polen,' mompelt Van Arkel, 'daar snap ik geen jota van. Op weg naar Polen?' Dan slaat hij met twee handen op zijn stuur en schreeuwt: 'Hij ging niet naar Polen, stelletje ezels! Bosman ging naar Brabant! Daar zitten Polen op een paardenfokkerij. Bosman heeft daar meer paarden lopen. Voornamelijk gestolen beesten.'
'De dief besteelt de dief,' fluistert Puck.

‘Wat zeg jij?!’ brult Van Arkel.
‘Ik zei… wat een dief!’ stottert Puck.

Katja zoekt Caspers nummer op.
Hij gaat lang over, maar dan neemt Casper op. ‘Kat, wat is er allemaal bij jullie aan de hand? Ik begreep geen woord van wat Puck zei.’
‘Met ons gaat het goed. Puck en ik zitten bij Van Arkel in de auto. Niet verder vragen! Zit Bosman nog achter jullie aan?’
‘Hij had ons bijna klemgereden. Maar toen kwam er net verkeerspolitie aan, dus maakte hij dat hij wegkwam. Ik denk dat hij het heeft opgegeven. We komen te dicht bij de stal, het wordt te heet onder zijn voeten. Ik wilde je trouwens net bellen. Waar zitten jullie?’
Katja vindt het heerlijk om zijn stem te horen. Ineens lijkt alles minder erg. ‘Hoe ver moeten we nog?’ vraagt ze aan Van Arkel.
‘Ongeveer veertig kilometer.’
‘Hoor je dat?’ vraagt ze aan Casper.
‘Ja. Dan zie ik je zo, babe! Hou vol.’

‘Hé, bakvis, wat zei je vriend?’
‘Bosman heeft het opgegeven.’
Katja kijkt door het achteruitkijkspiegeltje naar Van Arkels gezicht. Opgelucht lacht die zijn gebleekte tanden bloot.

13

Er staan nog maar een paar auto's op de grote parkeerplaats van de manege. Van de drukte van de wedstrijden is niets meer te merken. Langzaam rijdt Van Arkel zijn wagen het terrein op. Verderop staat de trailer. De klep is naar beneden, maar het paard staat er nog in. Roy en Casper zitten ieder aan een kant te wachten. Van Arkel springt meteen uit de auto. Met gespreide armen loopt hij op de jongens af alsof hij hen wil omhelzen. 'Geweldig, jongens! Machtig, dat jullie mijn paard hebben gevonden. Echt super! We zetten haar meteen op stal. En daarna drinken we samen een pilsje op de goede afloop.'
Katja en Puck stappen ook uit maar ze blijven op een afstand staan. Vanuit de verte komt er een jeep aanrijden. Hij scheurt het manegeterrein op. Klodders modder spatten alle kanten uit. Met gierende banden komt de auto tot stilstand. Het portier vliegt open en Ben Bosman springt naar buiten. In zijn handen houdt hij een dubbelloopsjachtgeweer. 'Opzij! Ik kom mijn paard halen!'
Van Arkel springt naar de zijkant van de trailer en duikt achter het wiel. 'Doe dat geweer weg, idioot. Je maakt die kinderen bang.'
Bosman richt de loop op Van Arkel. 'Houd je mond of je krijgt een schot hagel in je kont!'
'Mag ik je er even attent op maken...' sputtert Van Arkel.

'Nog één geluid, één piep en ik schiet je van de wereld!' schreeuwt Bosman.
Nu richt hij zijn geweer op Roy. 'Ontkoppel die trailer en zet hem achter mijn auto!'
Nerveus kijkt Roy de anderen aan.
'Nu!' Bosman doet een stap naar voren.
'Ik zal eerst dat paard eruit moeten halen, anders red ik het niet. Zo krijg ik hem niet los.'
'Laat je vriend je helpen. Til die trailer op,' commandeert hij tegen Casper.
Katja en Puck komen langzaam dichterbij. Met een ruk draait Bosman zich om. Puck geeft een gil. 'Niet schieten! Niet schieten!' Ze steekt haar handen in de lucht.
'Ga daar staan!' zegt hij tegen de meisjes en hij wijst naar een dikke boom verderop.
Roy begint aan de koppeling te prutsen.
Casper probeert de trailer te liften maar het gevaarte komt geen centimeter omhoog. 'Het gaat echt niet,' kreunt Casper. 'Dat paard moet eruit.'
Bosman wijst met het geweer naar Puck. 'Maak dat paard los en haal het eruit!'
'Dat durf ik niet.'
Bosman springt op Puck af en prikt met de loop van het geweer in haar buik. 'En nu?'
'Nu wel!' roept Puck bang.
'Ik help je,' zegt Katja. Ze maakt het kleine deurtje van de trailer open en kruipt naar binnen. Puck staat toe te kijken. Plotseling schreeuwt Bosman: 'Hier blijven, Van Arkel! Nog één stap en ik schiet je voor je raap! Leg je handen op je hoofd!'
Geschrokken doet Van Arkel wat hij zegt.
'Eerst die kinderen mijn paard laten stelen en nu ertussenuit willen knijpen?!'

Hij kijkt Roy en Casper aan. 'Ik hoop dat hij jullie goed betaalt.'
Roy springt op de klep en maakt de ijzeren achterstang los. Casper gaat door het zijdeurtje de trailer in en neemt het halstertouw van Katja over. Snel geeft hij haar een zoen in haar hals. Samen duwen ze het onrustige paard naar buiten. Nu het gewicht eruit is heeft Roy de trailer binnen een paar minuten los van de jeep.
'Help eens duwen, Puck!' roept Roy.
Blij dat ze ook wat kan doen, helpt Puck de trailer draaien en naar de auto van Bosman duwen. Daar koppelt Roy hem aan Bosmans jeep vast. Het paard briest.
Casper en Katja hebben moeite om haar in bedwang te houden. 'Zet haar er weer in!' commandeert Bosman.
Casper trekt aan het halstertouw maar het paard weigert. 'Ze wil niet!'
'Geef een tik op haar kont.'
Bang kijkt Casper Bosman aan. 'Man, ik heb helemaal geen ervaring met paarden. Straks gaat ze ervandoor.'
'Je werkt hier toch?'
'Ik ben barkeeper!'
Vloekend komt Bosman op Katja af. Even denkt ze dat hij het paard van haar overneemt, maar hij trekt haar met een ruk naar zich toe en klemt zijn arm om haar nek. 'Gooi dat mobieltje weg, Van Arkel, of ik schiet dit grietje door haar kop!'
Van Arkel staat met zijn mobiel in zijn handen en kijkt hen stuk voor stuk koortsachtig aan.
'Je wilt toch niet dat ik je vriendinnetje om zeep help?'
'Vriendinnetje?' Van Arkel spuugt het woord uit. 'Zij is mijn getuige, Bosman! Zij heeft jou die avond gezien toen jij mijn paard stal.' Hij drukt zijn mobiel tegen zijn oor.

Casper springt op Van Arkel af en graait het telefoontje uit zijn handen.
'Jij wilt mij erin luizen, hè?' schreeuwt Bosman. Dan duwt hij Katja weg. 'Sorry, meidje, maar je weet dat ik je niks doe.'
Katja wankelt. Het lijkt net of ze in elkaar zakt en toch blijft ze rechtop staan. Ze wil weglopen maar ze kan geen stap verzetten. Ze wist dat hij haar niks zou doen. Ze was niet eens echt bang. Waarom staat ze hier dan nu als een slappe pudding? En waar is het paard?
Tegelijk kijkt iedereen naar Puck die angstig met het halstertouw in haar handen staat.
'Iemand moest hem toch pakken?'
Bosman neemt het paard van haar over. 'Dit is mijn eigendom, ik heb er eerlijk voor betaald.'
'Betaald? Noem jij dat betaald?' roept Van Arkel. 'Vijfhonderd euro! Man, dat is een dievenprijs!'
'Jij moest dit paard kwijt, Van Arkel, en dat ben je ook! Dat veulen, dat is een cadeautje moet je maar denken!' Lachend klopt hij het paard op haar hals, geeft het wat biks en loopt ermee de trailer in.
Katja kan het niet laten, ze moet het vragen: 'Waarom loopt ze bij u wel de trailer in?'
'Zo'n beest heeft meer mensenkennis dan jij denkt,' zegt Bosman grinnikend. Hij gooit de klep dicht, tikt tegen zijn pet en stapt in zijn auto. Langzaam rijdt hij de parkeerplaats af.

Met grote bange ogen kijkt Katja naar Van Arkel. De hele tijd heeft hij zich in moeten houden, maar nu komt hij briesend op haar af. 'Jouw schuld! Het is allemaal jouw schuld! Vuil secreet!'
Katja denkt dat hij haar gaat slaan. Op dat moment springt Casper tussen hen in. 'Blijf met je poten van haar af, of ik geef je aan voor mishandeling!'

Van Arkel loopt rood aan. Hij geeft Casper een zet. 'Jij lelijke snotpiek! Waar bemoei jij je mee?'
Dan draait hij zich weer om naar Katja. 'Jij rept hier thuis met geen woord over, hoor je? Eén kik en ik snoer je voorgoed...!'
Nu staat Roy voor hem. Groot, breed en dreigend. Van Arkel wankelt achteruit.
Hij steekt zijn vuist op naar Katja. 'Je weet wat ik gezegd heb! Anders zal je vader hiervoor boeten!' Hij loopt snel naar zijn wagen en stapt in.
Puck stuift hem achterna en schreeuwt: 'En ik ben niet dik!'

Casper slaat zijn armen om Katja heen.
'Jij geeft hem aan voor mishandeling?' zegt ze met een wrang lachje.
'Hoe kom je hier anders aan?' Zachtjes kust hij haar op haar mond. Met een schok trekt Katja haar hoofd terug. Au! Ze betast haar opgezette lip. Ze wist niet dat het zo erg was. Wat zal ze er raar uitzien. Boven aan de trap van de manege vliegt de deur open. Anouk en Jantien komen naar beneden gerend.
'Ze zijn er! Ze zijn er! Mijn heldenzus!' roept Anouk. 'Zijn jullie hier al lang? Vertel! Hebben jullie spannende dingen beleefd?'
'Hoezo, spannende dingen?' vraagt Katja moe.
'Hou je nu maar niet van de domme, ik heb vandaag een paar keer met Roy gebeld. Wij hebben hun bardienst overgenomen.'
'Stil!' waarschuwt Roy, 'Daar komen er nog een paar aan.'
Nu komen Wiep, Chantal en Mira de trap af. Wiep gaat naast Casper staan. 'Waar was je nou de hele dag? Ik heb je gemist,' zegt ze met een pruilmondje. Ze slaat haar arm om zijn middel en leunt met haar hoofd tegen hem aan. Verliefd kijkt ze naar hem op.

Casper haalt ongemakkelijk zijn hand door zijn haar. Voorzichtig maakt hij Wieps arm los en zegt: 'Ik ga mijn meisje naar huis brengen.'
Wieps gezicht wordt rood. Haar mondhoeken krullen naar beneden. Demonstratief gooit ze haar lange haar naar achter, loopt vlak langs Katja en fluistert vals: 'Ik pik hem zo van je af!'
Maar Katja is niet bang meer. Wiep kan dreigen wat ze wil, Casper heeft nu openlijk voor haar gekozen. Eindelijk zit het goed tussen hen. Na alles wat ze hebben meegemaakt kan het niet meer stuk. Ze horen bij elkaar.
'Wie brengt mij naar huis?' piept Puck. 'Ik heb ook een zware dag achter de rug.'
'Ik, Ukkepuck!' roept Roy. Hij gooit de sleutels van de Beetle naar haar toe. 'Ga maar zitten, ik kom eraan.'
'Oh nee, ik ga nooit meer van tevoren in een auto zitten!' zegt Puck.
'Hebben jullie dat paard niet teruggebracht?' vraagt Anouk als de andere meiden weg zijn.
'Jawel, maar het is alweer onderweg naar Drenthe. Van Arkel heeft dat paard verkocht, dus Bosman staat in zijn recht.'
'En omdat Katja haar mond moet houden, strijkt Van Arkel het verzekeringsgeld op,' zegt Roy.
Casper houdt Katja vast. 'Ik ben op de fiets, als je liever ook met Roy meerijdt?'
'Al was je op een step, ik ga met jou mee.'
Hij trekt haar nog steviger tegen zich aan.

14

Thuis is alles donker. Haar vader en moeder zijn naar de film.
Katja springt van de bagagedrager.
'Zal ik even mee gaan naar binnen?' stelt Casper voor.
Nu ze weer staat, voelt Katja hoe moe ze is. Ze ziet er waarschijnlijk ook niet uit en ze stinkt verschrikkelijk van die afschuwelijke rit in de trailer. Haar wang gloeit en haar lip klopt. 'Vind je het erg om meteen naar huis te gaan?'
'Nee, hoor,' zegt Casper, maar hij klinkt teleurgesteld.
Net als ze naar binnen wil gaan zegt hij: 'Kat, je bent een kanjer! Ik vind je onwijs dapper.'
Katja glimlacht. 'Jij deed het anders ook niet verkeerd.'
Casper laat zijn fiets vallen en geeft haar gauw nog een paar zoenen.
Dan glipt ze snel naar binnen.

Ze staat onder de douche. Een heerlijke warme straal spettert op haar hoofd en spoelt over haar heen. Zo kan ze wel uren blijven staan. Wanneer ze eindelijk de kraan dichtdraait, hoort ze Anouk op de scooter thuiskomen. Snel droogt Katja zich af en maakt dat ze in haar slaapkamer komt. Ze heeft geen zin om nu nog het hele verhaal te vertellen. Het enige wat ze wil is slapen. De voordeur slaat dicht. Met bonkende stappen komt Anouk boven en stormt Katja's kamer binnen.

'Kun je niet kloppen?'
'Je hebt je pyjama toch aan, preutse kip!'
'Nog maar net hoor.'
'Vertel!' zegt Anouk, 'hoe is het gegaan? Jij maakt altijd zulke spannende dingen mee!'
'Anouk, ik ben doodmoe, ik ga nu naar bed.'
'Phoe!' roept Anouk boos. 'Je mag me wel een beetje dankbaarder zijn. Door Jantien en mij konden Roy en Casper weg, hoor. Trouwens, bardienst is vet leuk. Alleen ben ik geen keukenprinses. Ik kan geen tosti meer zien.' Ze springt op Katja's bed en gaat er helemaal voor zitten.
'Anouk, ik ben bekaf!'
Even trekt Anouk een sip gezicht maar dan loopt ze toch naar de deur. 'Morgen?' vraagt ze.
Katja knikt. 'En mondje dicht tegen pap en mam!'
Braaf gaat Anouk naar haar eigen kamer. Verbaasd kijkt Katja haar na. Zo gemakkelijk is ze nog nooit van haar zus afgekomen. Maar meteen vliegt de deur weer open en staat Anouk midden in de kamer. 'Hier,' zegt ze, en ze gooit een tube op Katja's bed. 'Smeer dit maar op je gezicht, dan zie je er morgen niets meer van.'
Dankbaar pakt Katja de blauwe tube op. Vijf minuten later ligt ze uitgeteld onder de deken.

Midden in de nacht schiet Katja wakker. In haar droom hoorde ze een knal. Het geweer van Bosman ging af, uit de loop kwam een hagel van kauwgomballen. Rood, blauw, geel, in allerlei kleuren. Hij schoot het hele geweer leeg. Van Arkel sprong rond en gilde het uit. Katja strijkt het haar uit haar bezwete gezicht. Haar pyjama kleeft aan haar lijf. Op haar tenen loopt ze naar de wc. Haar ouders zijn thuis, want de slaapkamerdeur is dicht. Even later kruipt ze weer rillend in

bed. Nu is Van Arkel toch zijn paard kwijt en het veulentje gaat aan zijn neus voorbij. Katja zucht. Als zij zich er niet mee had bemoeid was iedereen beter af geweest. Nu gaat Van Arkel wraak nemen! Dat heeft hij gezworen. Morgen is het zondag, maar maandag krijgt haar vader vast ontslag! Uiteindelijk is alles toch voor niets geweest.
Waar is het fout gegaan? Ze kan niet helder denken. Haar hoofd zit stampvol beelden van de afgelopen dag. En dan die pijn in haar buik! De hoeveelste is het? Nee, ze is twee weken terug nog ongesteld geweest. Ze schudt haar kussen op. Weer ziet ze Bosman met zijn geweer. Dáár ging het fout. Als die niet was gekomen, had Van Arkel zijn paard teruggehad. Was misschien alles nog goedgekomen. Nu heeft haar vader geen idee wat hem boven zijn hoofd hangt. Ze durft hem morgen niet onder ogen te komen. Ze blijft de hele dag op haar kamer. Maar eerst gaat ze heel lang slapen.

De volgende morgen is Katja vroeg wakker. Hoe ze het ook probeert, ze valt niet meer in slaap. Om negen uur gaat haar deur zacht open en kruipt Anouk bij haar in bed. Vol bewondering luistert ze naar Katja's verhaal. 'Hoe krijg je het toch altijd voor elkaar om je zo in de nesten te werken?'
'Ik pak alles verkeerd aan,' zegt Katja. Ze draait zich naar Anouk toe en vraagt: 'Wat moet ik doen? Straks krijgt papa zijn ontslag!'
'Gewoon je mond houden, laat Van Arkel die verzekeringscenten maar vangen,' zegt Anouk rustig.
Hun moeder steekt haar hoofd om de deur en vraagt of ze komen ontbijten.

Vier boterhammen, een groot glas sinaasappelsap, een beker thee en een gekookt ei. Katja werkt het in korte tijd naar binnen.

'Je hebt honger als een paard,' zegt haar vader.
Haar moeder kijkt haar aan. 'Ben je gevallen of zo?'
Katja strijkt over haar gezicht. Je kunt het bijna niet meer zien en vanmorgen heeft ze er ook nog een beetje make-up overheen gesmeerd. 'Met de fiets uitgegleden,' mompelt ze.
'Hebben jullie nog plannen voor vandaag?' vraagt hun moeder.
'Ik ga naar de manege,' zegt Anouk.
'Ik moet aan mijn huiswerk,' zegt Katja, 'ik ben erg achter.'
'Het is toch herfstvakantie?'
Katja schrikt. Is dat zo? Ze heeft geen idee wat voor dag of week het is. 'Eh, we hebben speciaal huiswerk opgekregen… Voor in de herfstvakantie,' stamelt ze.
Haar moeder kijkt haar onderzoekend aan.

Katja heeft een cd opgezet, maar zelfs de muziek kan haar sombere gedachten niet verdrijven. Ze pakt haar mobiel en zoekt Pucks nummer op. Puck heeft hem uit staan! Nou ja! Ze krijgt een sms'je van Casper. *Heb bardienst. Zie je vanavond? XXX Casper.* Katja glimlacht. Als ze aan Casper denkt krijgt ze kriebels in haar buik. Ze vindt hem zo lief. Hoe hij het voor haar opnam tegen Van Arkel. Zo stoer! Was het maar avond. Was het maar de volgende week. Zal ze Van Arkel bellen en vragen of hij alsjeblieft haar vader niet wil ontslaan? Smeken en lief doen en hem plechtig beloven dat ze haar mond houdt? Maar wat als hij weer zo raar tegen haar gaat doen? Misschien kan ze beter tot morgen wachten, dan is hij vast wat afgekoeld. Ze zet haar computer aan. Ze heeft al zo lang niet in haar dagboek geschreven. Hè? Een e-mailtje van Puck! Katja opent het berichtje.

Van: Puck Buisman
Aan: Katja Verdonk
Verzonden: zondag 20 oktober 10.19
Onderwerp: gevangen!

Ha, die Kat!
Ja, daar kijk je raar van op hè? Ik ben niet zo'n e-mailer, maar nu moet ik wel. Ik zit gevangen in mijn torenkamer met een derdegraadshuisarrest, omdat we gespijbeld hebben. Iemand heeft gekletst, ik weet alleen niet wie. Marcel ging compleet door het lint. Hij wil me de hele dag niet zien. 'Uit mijn ogen!' bulderde hij. Ik mag zelfs voor het eten niet naar beneden komen. Hij zet persoonlijk een dienblad voor de deur neer. Ik doe mijn moeder verschrikkelijk veel verdriet zegt hij. Van mij krijgt ze rimpels en grijs haar. En daar moet hij dan weer tegenaan kijken! Nou vraag ik je! Wat een superegoïst hè? Mijn moeder was niet eens zo kwaad hoor. Maar Marcel flipt tegenwoordig overal van. Als ik morgen weer beneden kom, zal ik toch eens met mijn moeder gaan praten. Of ze die vlaflip geen buitenarrest kan geven met een straatverbod voor vijftig jaar. Zijn we mooi van hem af. Toen we nog met zijn drieën waren was het veel gezelliger. Op msn mag ik ook al niet. Ik verdenk hem er zelfs van dat hij elk kwartier naar boven sluipt om aan mijn deur te luisteren. Als hij hoort dat ik zit te tikken zijn de rapen helemaal gaar. Dus dit is het laatste wat je van me hoort. Oh ja, ze hebben ook mijn mobiel afgepakt. Ik verwacht geen witte prins op een paard die mij komt bevrijden, dus ik zie je morgen weer!
Groetjes van een eenzame Puck

Katja glimlacht. Puck met haar witte prins. Ze vindt het echt rot voor haar vriendin. En wat Puck zegt is waar. Marcel is een vervelende klier. Ze begrijpt ook niet wat Pucks moeder in die vent ziet.

Katja gaat alleen naar beneden om tomatensoep met stokbrood te eten. Daarna gaat ze met een spannend boek op bed liggen. Ze schrikt wakker van de bel. Bezoek? Ze loopt naar het raam en gluurt naar beneden. Voor het huis staat een grote zilveren BMW. Van Arkel!
Katja's maag draait om en ze staat te wankelen op haar benen. Ze krijgt het warm en koud tegelijk. Ze zet haar deur op een kier en probeert iets van het gesprek op te vangen. Ze hoort haar vader praten maar ze kan niet verstaan wat hij zegt. Er wordt heen en weer gelopen. Haar moeder doet de voordeur weer open. Haar vader gaat met nog iemand naar buiten en dan is het stil.
Katja vliegt terug naar het raam en ziet nog net dat haar vader in de zilveren wagen stapt.
De andere man ziet ze niet. Wat zou er aan de hand zijn? Langzaam sluipt ze naar beneden. Katja schenkt in de keuken een glas sinas in en kruipt in een stoel tegenover haar moeder, die op de bank zit te lezen. Ze neemt een paar slokjes. 'Moest papa weg?'
Haar moeder knikt.
'Het is toch zondag?' Haar stem slaat over.
'Hij is opgehaald door de directeur. Er is iets gaande op de zaak. Ik weet niet precies wat, maar het kon niet tot morgen wachten.'
Katja verslikt zich. Het prikkende goedje schiet in haar neus. De tranen springen in haar ogen. Haar moeder springt op en klopt haar op haar rug. Katja duwt haar moeder opzij en rent

naar boven. Vandaag al krijgt hij zijn ontslag. Wat zal Van Arkel verteld hebben? Ze voelt ijskoud zweet over haar hele lichaam. Misselijk rent ze naar de wc en gaat over de pot hangen. Er komt niets uit haar mond. Ze zit te rillen op de koude tegels. Doodmoe sloft ze naar haar bed en kruipt onder de deken. Je bent nog niet van me af, schreeuwde Van Arkel.
Hij heeft woord gehouden.

15

Ze wrijft in haar ogen. Buiten is het donker. Hoe laat zou het zijn?
Beneden hoort ze haar vader praten! Katja krimpt in elkaar. Oh, nu zou ze wel in bed willen blijven en er nooit meer uitkomen. Maar ze moet dapper zijn. Ze moet naar beneden gaan en eerlijk vertellen hoe het is gegaan. Met knikkende knieën loopt ze de trap af. Als ze binnenkomt zitten haar vader en moeder op de bank. Voor hen staat een glas bier en een glas rode wijn. Vrolijk kijken ze Katja aan. Ze snapt er niets van.
'Kat, ik ga waarschijnlijk promotie maken,' zegt haar vader blij.
'Hè?'
'Weet je nog dat ze me oversloegen toen ik naar die baan solliciteerde? Dat deed de directie expres, omdat ze vermoedden dat Van Arkel de boel flest. Als dat zo is krijg ik zijn baan, kom ik ook in de directie! Van Arkel was de laatste dagen niet of nauwelijks op kantoor en daarom konden ze bij zijn gegevens komen. Het is een zooitje, er klopt niets van. Van Arkel sluist verzekeringsgeld door naar een bankrekening in Zwitserland.'
'Goh,' stamelt Katja.
Haar vader staat op. 'Ik ga zo weer naar kantoor. We willen

voor morgenochtend voldoende bewijsmateriaal gevonden hebben om hem te laten arresteren. Desnoods werken we de hele nacht door!'
Katja kan geen woord uitbrengen.
'Wat is er?' vraagt haar vader. 'Je ziet zo pips.'
'Ik ben een beetje misselijk. Dus je wordt niet ontslagen?'
'Nee, dat vertel ik toch?' Haar vader pakt zijn aktetas en stopt er allerlei papieren en mappen in. 'Reken niet met eten op me,' zegt hij tegen zijn vrouw en hij geef haar een zoen. 'Als we wat vinden, wil de directeur hem vanavond nog op laten pakken.'
Nu kan Katja het niet langer voor zich houden. Ze schraapt haar keel, haalt diep adem en zegt: 'Pap, Van Arkel heeft zijn eigen paard gestolen. Hij heeft het verkocht en ik weet waar het is.'
Haar vader kijkt haar ongelovig aan. 'Hoe... hoe... weet jij dat?' stamelt hij.
'Ik was erbij.'
De aktetas ploft op de grond. 'Hoe bedoel je: ik was erbij?'
'Als je bewijzen wilt, ik heb het allemaal op film staan. Ik heb gefilmd dat hij geld voor dat gestolen paard vangt op de markt in Zuidlaren.'
Haar vader wordt wit om zijn neus...

Zondagavond 20 oktober
Ik heb heel wat uit te leggen, maar toch is dit een bijzondere dag! Langzaam begint het tot me door te dringen. Het is voorbij. Nu ben ik nog even de held, maar ik weet bijna zeker dat ik niet ongestraft vrijuit ga. Bij mijn ouders dan. Maar dat is van later zorg. Van Van Arkel heb ik in ieder geval geen last meer! Mijn vader belde net en vertelde dat Van Arkel is opgepakt voor fraude en diefstal.

Werk je bij de verzekering, zit je zelfs in de directie en licht je nog de boel op! Die man leefde op te grote voet, hij smeet met geld. Mijn vader is supergelukkig, die heeft een dubbele promotie gemaakt. Het paard blijft bij Bosman, die kunnen ze niks maken, die heeft het eerlijk gekocht. Nou ja, eerlijk? Het veulentje gaat dus in het mooie Drenthe geboren worden. Misschien dat Puck en ik er over een jaartje nog eens naartoe gaan. Gewoon om het veulen te bekijken. Eigenlijk vind ik paarden best wel leuk. Dat speciale paardenluchtje vind ik best wel lekker. Misschien mag ik wel op paardrijles, want mijn vader gaat nu vast veel geld verdienen. Ik ga zo met Casper, Roy en Anouk naar de film. We zouden met z'n tweeën gaan maar Roy en Anouk gaan naar dezelfde film. Roy rijdt. Ik vind het zielig dat Puck opgesloten zit. Misschien dat ik daar nog wat aan kan doen. Ik moet me nu optutten want de jongens kunnen er zo aan komen.

Anouk komt de slaapkamer binnen. 'Ben je klaar? De auto staat voor!'
'Shit! Ik moet me nog verkleden!'
'Geen tijd meer! Wat je aanhebt is toch goed? In de bios is het donker, hoor. Kom nou maar. Roy houdt niet van wachten.'
Anouk rent al naar beneden. Roy houdt niet van wachten? denkt Katja nijdig. Bekijk het even! Ze trekt haar truitje uit en pakt een ander uit de kast. Dan trekt ze haar hoge zwarte laarzen aan en haalt een kam door haar haren. Nu nog een beetje extra mascara op. Zo, tevreden kijkt ze in de spiegel.
'Ka-hat!' roept Anouk onder aan de trap.

In de auto vertelt Katja over Puck. Ze hebben allemaal medelijden met haar.

'Als je bij hen op het platte dak van de garage gaat staan, kun je via de dakgoot bij haar slaapkamerraam komen,' zegt Katja. Tegelijk kijken de jongens haar aan. 'Wat bedoel je?' vraagt Casper.
'Dat ze dan mee naar de film kan.'
'Durft ze dat?' vraagt Roy.
Katja knikt overtuigd maar ze weet het niet zeker. Puck is een bangeschijter, maar toch gaat ze altijd mee.
'Klauter jij maar op dat dak,' zegt Casper tegen zijn broer, 'jou zien ze niet in het donker.'
Roy grinnikt. Ze parkeren de auto een stuk van Pucks huis af en sluipen naar de woning. Casper doet zijn handen in elkaar, zodat Roy erin kan stappen. Met een lenige sprong zit hij op het platte dak van de garage. Hij sluipt naar het huis, gaat in de dakgoot staan en schuift voorzichtig naar Pucks raam toe. Zachtjes klopt hij op het glas. Niets. Weer klopt hij. Dan verschijnt het gezicht van Puck. Eerst ziet ze niks, dan schrikt ze en kijkt ze Roy met grote ogen aan. Ze maakt het raam open, ze fluisteren wat en daarna loopt Puck weg. Even later komt ze terug met een dik vest om haar schouders geslagen. Roy helpt haar uit het raam klimmen. Hand in hand schuifelen ze door de dakgoot naar het platte dak van de garage. Kreunend laat Puck zich aan de rand zakken. Casper vangt haar op en zet haar op de grond.
Triomfantelijk kijkt ze Katja aan. 'Vrij! Gered door een prins met een gele Beetle.'

Het is rustig in de bioscoop, de film draait al een paar weken. Ze zitten op één rij.
Casper kijkt jaloers naar zijn broer die hartstochtelijk zit te zoenen.
Puck kraakt met een zak chips, bij elke hap hoor je haar kiezen malen.

Langzaam schuift Caspers hand over Katja's rugleuning. Zachtjes slaat hij zijn arm om haar heen.
Katja's hart maakt een sprongetje, maar ze doet net alsof ze er geen erg in heeft. Stiekem kijkt ze opzij. Wat is hij knap. En helemaal van haar. 'Nu mag iedereen weten dat we verkering hebben, hè?' fluistert ze.
Casper kijkt haar verliefd aan en geeft haar een onhandige zoen op haar oor.
Het kriebelt en tutert. Lachend duikt ze met haar hoofd weg.
Puck propt de lege zak in elkaar. Dan kijkt ze de anderen geschrokken aan. 'Oh, hadden jullie ook willen hebben?'
'Maak toch niet zo'n herrie,' bitst Anouk.
Casper grinnikt en geeft Puck zomaar een zoen op haar wang.
'Je mag ook wel een arm om mij heen slaan, hoor!' fluistert Puck half luid.
Casper legt zijn andere arm om Puck heen.
'Wat een vrouwenverslinder!' zegt Roy lachend.
'Ssst!' sist er iemand achter hen.
Triomfantelijk kijkt Casper van de een naar de ander.
Puck buigt zich voorover naar Katja en fluistert: 'Zullen we hem delen?'
'Mooi niet! Jij at die chips ook alleen op!'

Over dit boek

Nu je dit boek hebt gelezen, denk je misschien: wat een ongelooflijk verhaal. Zelf heb ik bijna net zoiets meegemaakt. Dit is wat er in werkelijkheid gebeurde.

In de nacht van 15 op 16 oktober 2001 werd ons paard Kornet 's nachts gestolen, samen met onze trailer. Toen we het de volgende dag ontdekten, schakelden we onmiddellijk de politie in. Tegen de avond werd onze trailer door de politie in Drenthe gevonden, op een industrieterrein bij Zuidlaren, met lek gestoken banden. Waarschijnlijk was Kornet die dag op de jaarlijkse paardenmarkt verkocht.
Algauw begrepen we dat de politie niets voor ons kon doen. Gestolen paarden worden snel doorverkocht en gaan daarna meestal naar het buitenland. Ons paard was gechipt, maar daar werd toen nog niet op gecontroleerd. Wij dachten Kornet voorgoed kwijt te zijn, maar mijn dochter liet het er niet bij zitten en ging zelf op zoek. Eerst op het internet. Daar zette ze op Marktplaats.nl, onder het kopje paarden, een foto met een beschrijving van Kornet en vertelde dat hij gestolen was. Er reageerden mensen uit Friesland! Ze vertelden dat ze op de paardenmarkt in Zuidlaren waren geweest om een pony voor hun dochter te zoeken. Ze hadden er filmopnames gemaakt en vermoedden dat ons paard op hun film stond. Ze

stuurden ons het filmpje door, en ja, hoor: we zagen dat Kornet op een grasveldje door een handelaar gelongeerd werd om zijn gangen te demonstreren.
Mijn dochter ging door met haar zoektocht en bezocht met haar vriendin elke paardenmarkt in Nederland. Daar filmden ze iedere handelaar die er rondliep. Misschien herkenden ze de man die Kornet had gelongeerd. We plaatsten advertenties in de landelijke kranten en bezochten maneges in Drenthe. Toen kwamen we ons paard op het spoor! Op een van de maneges hoorden we dat Kornet er had gestaan. Er was een box voor hem gehuurd, maar slechts voor enkele dagen. Daarna was hij weer ergens anders naartoe gebracht.
Ons spoor liep dood. Tot op een zaterdagavond de telefoon ging. Een man vertelde dat hij onze advertentie had gelezen en wist waar ons paard was. Hij zei niet waar, maar liet ons beloven de politie erbuiten te houden. Toen vertelde hij dat hij ons paard gekocht had. Maar toen hij Kornet liet berijden, begreep hij meteen dat er iets niet klopte. Een dressuurpaard dat zo goed loopt en zoveel kan, wordt niet op een paardenmarkt verkocht. Eindelijk, na drie weken, was ons paard terecht!
Wij gingen Kornet zo snel mogelijk halen. Hij stond in een donkere stal, hij trilde over zijn hele lijf en was sterk vermagerd. Sinds hij gestolen was, at hij bijna niet meer. Zodra hij de stem van mijn man hoorde, veerde hij op. Wij kochten hem terug. De man vertelde ons dat het paard verschillende keren was doorverkocht, zelfs voor een Rolexhorloge!
Toen wij Kornet naar zijn vertrouwde weiland brachten, was hij zo blij! Hij rende rond, maakte rare sprongen, en dolde samen met de andere paarden, die hem meteen herkenden. Met tranen in onze ogen keken we toe. Het heeft lang geduurd voordat Kornet niet meer overal van schrok.

Lees ook de andere boeken over Katja en Puck:

ISBN 978 90 269 1509 3

Op een regenachtige avond fietsen Katja en Puck langs het afgelegen crematorium. Per ongeluk zien ze iets wat ze nooit hadden mogen zien.

Katja is verliefd op Casper, maar die ziet haar niet staan. Hij heeft alleen oog voor Wiep, het mooiste meisje van de klas. Om Caspers aandacht te krijgen, vertelt Katja wat Puck en zij ontdekt hebben. Samen met Casper en zijn broer Roy, die journalist is, gaan ze op onderzoek uit. Maar zijn ze wel opgewassen tegen deze gevaarlijke bende?

Foute boel *is genomineerd voor de Tina-Bruna Award 2005-2006!*

ISBN 978 90 269 1762 2

Op weg naar het strand verdwalen Katja en Puck. Boven op een duintop zien ze in een dal een boerderijtje staan. Op het binnenplaatsje lopen vier honden. Net als ze er de weg willen vragen, komt er een kale kerel naar buiten. Hij draagt een jutezak en een schep. Hij gaat iets begraven.

Terwijl ze stiekem de man bespieden, komt er ook een vrouw naar buiten. Ze sleept een van de honden ruw mee naar binnen. Katja en Puck horen het dier vreselijk krijsen en janken. Dan is het stil. Ze weten bijna zeker dat de vrouw de hond vermoord heeft en besluiten op onderzoek uit te gaan. Want waarom vermoordt iemand een hond?